Beginner's Electric Guitar Basic Textbook

基礎教本

自由現代社

初心者のエレキ・ギター基礎教本

Beginner's Electric Guitar Basic Textbook

CONTENTS

第1章 ギターを弾く前に

第2章 音を出してみよう

第3章 テクニックを磨こう

第4章 コードを弾こう

第5章 ギターをもっと知ろう

第6章 応用曲

Beginner's Electric Guitar

Basic Textbook

第1章 ギターを弾く前に

この章では、色々な種類のギターを紹介したり、チューニング方法を紹介します。チューニングは、ギターを弾く前に必ず行いますので、やり方を覚えてできるようになりましょう。

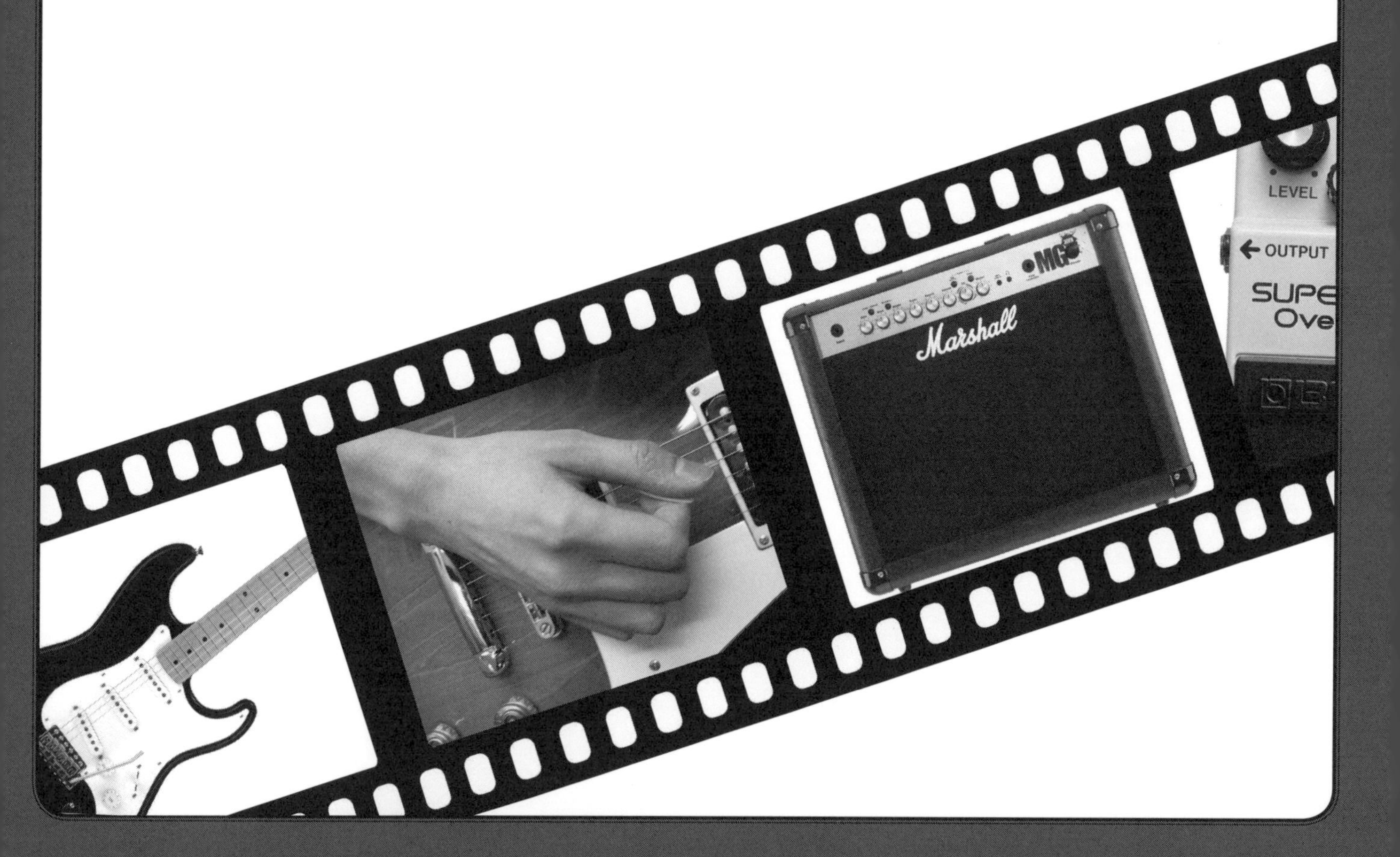

エレキ・ギターの種類

エレキ・ギターには、たくさんの種類があります。形が違っていたり、出てくる音が違いますので、ここで代表的なギターを紹介しましょう。

ストラトキャスター

エレキ・ギターといえば、「ストラト」と言われるぐらい王道なギターです。ジミ・ヘンドリックス、エリック・クラプトン、日本人だとチャー等の有名なギタリストが愛用しています。

多彩な音色を奏でることができるので、ポップス～ロック等、様々なジャンルにも対応できて軽くて弾きやすい！等、良いことずくめのギターです。

主な特徴

- 高音域が強調された明るい音
- 軽くて弾きやすい
- 幅広いジャンルに対応できる
- ネックが長い

レスポール

ストラトと同じく王道なギターで、スラッシュ、ジミー・ペイジ、日本人だと松本孝弘（B'z）等のギタリストが愛用していました。

主に、ロック系の音楽で使われることが多いギターです。そしてなんと言っても、見た目がカッコいい！　立って弾くときは、ストラップを少し下げて弾くとカッコ良いでしょう。

主な特徴

- 低音域・中音域が豊かな太い音
- ストラトタイプより重たいものが多い
- ネックがストラトに比べて短い
- ロック系のサウンドに、めっぽう強い

テレキャスター

ローリング・ストーンズのキース・リチャーズで有名なギター。漫画等でも登場するので、ギターを知らなくても知名度が高いです。

ソリッド・ギター（ボディに空洞のないエレキ・ギター）としては、もっとも歴史が古く、固くハッキリした音が特徴です。

フライングV

Vの逆さの形をしたとっても目立つギターで、マイケル・シェンカーが使用したことでも有名なギターです。形だけでかなり目立ちますが、その形ゆえに最初は弾きにくいと思われるかもしれません。しかし、特徴的な甘いトーンと奇抜なルックスで、使用しているギタリストもいます。

2 ギター各部の名称

ストラト・タイプとレスポール・タイプ別に、ギターの各パーツを見てみましょう。名称は一度に覚えなくても大丈夫です。本書を読み進めていく中で、分からない名前が出てきたら、このページを見て確認しましょう。そうすることで、自然と覚えることができるでしょう。

ストラト・タイプ

ヘッド

①ペグ

弦を巻き付けているパーツです。ペグを回して弦の張り具合を調整します。

②ナット

ヘッドとネックの境目で、弦を支えている部分です。

ネック

③指板

ネックの表面の板の部分です。フィンガー・ボードとも呼びます。

④フレット

指板上を縦に区切る金属のバーです。ナットの隣から順に1フレット、2フレット、3フレット……と数えます。

⑤ポジション・マーク

どこのポジションを押さえているかが、視覚的に分かるように付けられているマークです。通常は、「3、5、7、9、12、15、17、19、21」に付けられています。

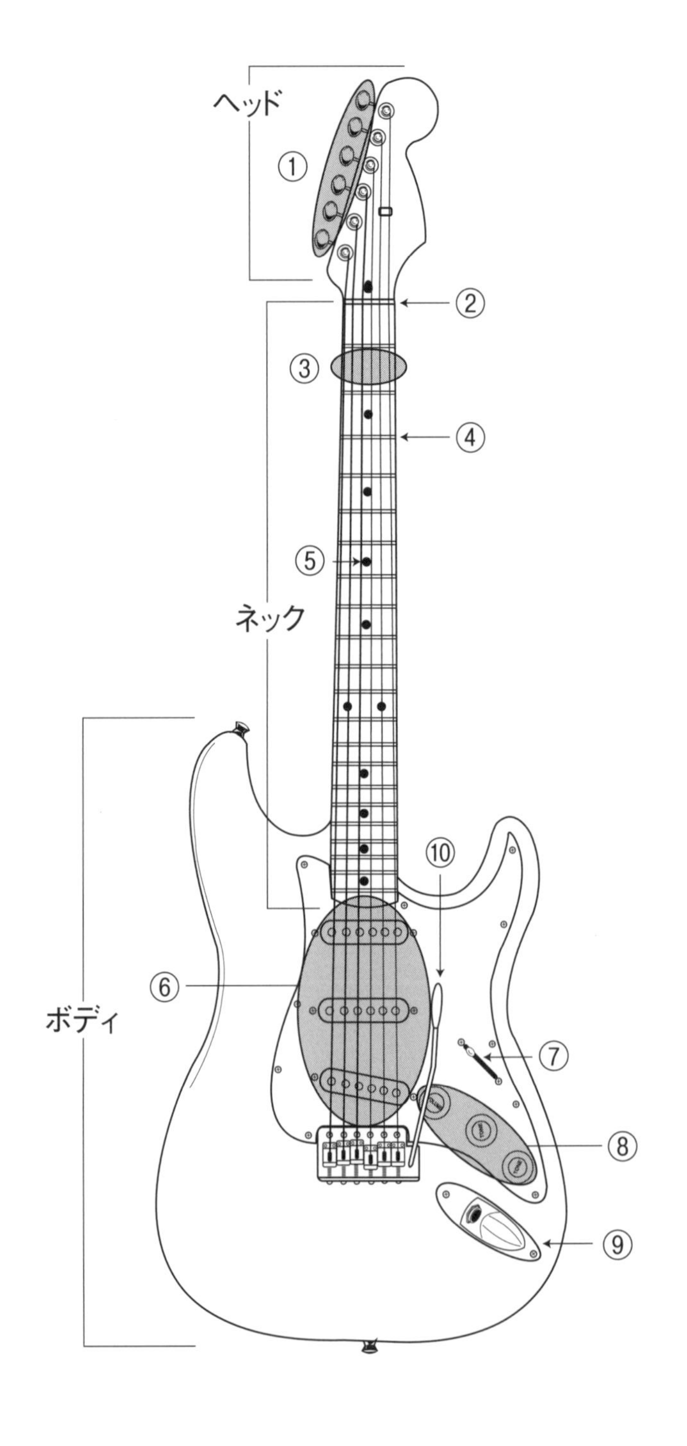

レスポール・タイプ

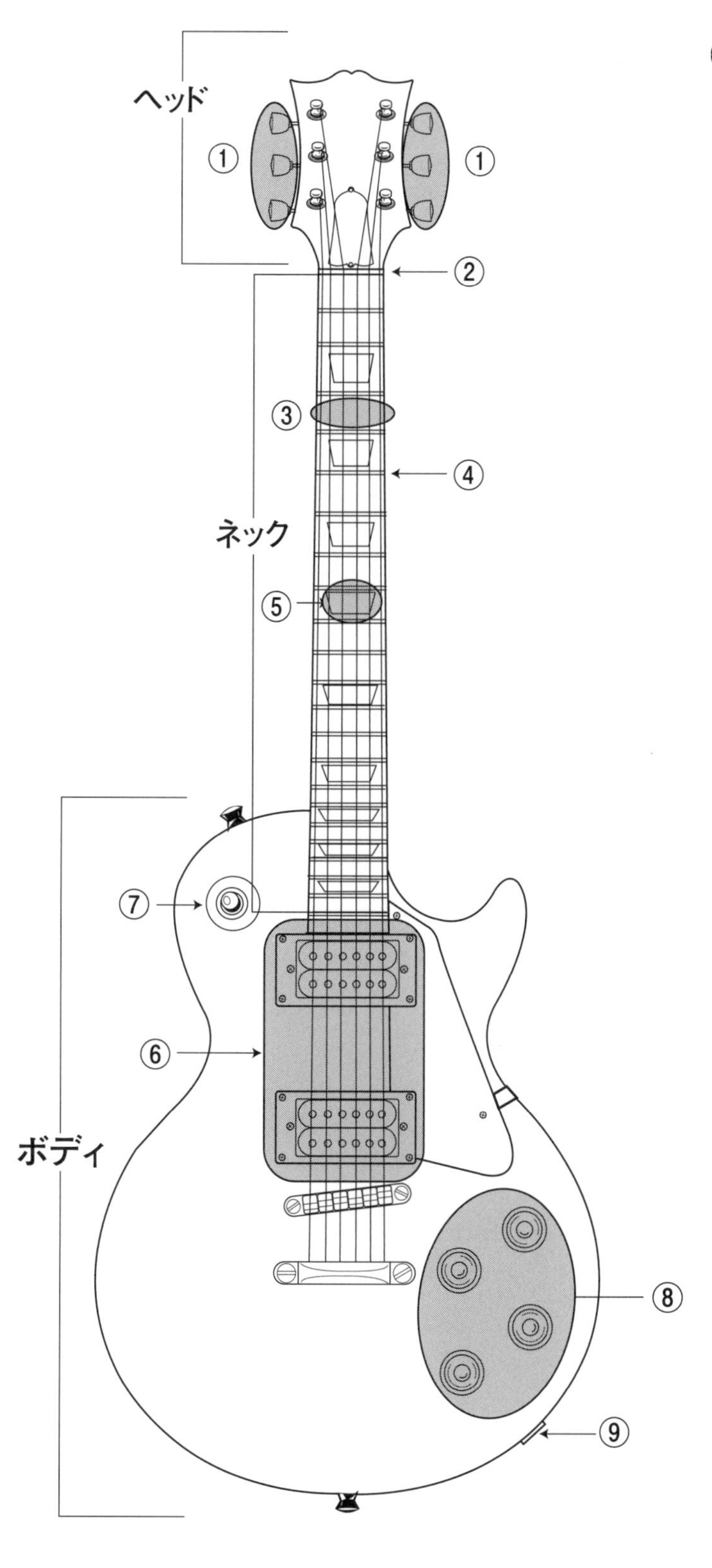

ボディ

⑥ピックアップ

弦の振動を拾い、電気信号をシールドを通してアンプに送るのがピックアップです。ストラトには、ネック側からフロント、センター、リアの3つ。レスポールには、フロント、リアの2つのピックアップが付いています。

⑦ピックアップ・セレクター

どのピックアップで音を拾うかを切り替えるスイッチです。ピックアップを切り替えることで、音質が変わります。ストラトは5段階、レスポールは3段階に切り替えることができます。

⑧ボリューム・ポッド、トーン・ポッド

ボリュームは音量、トーンは音質を調整します。

⑨アウトプット・ジャック

ピックアップで拾った電気信号を、アンプへ送るための出力端子です。単に、シールドをつなげる所と覚えておいて良いでしょう。

⑩トレモロ・アーム

アームを押したり引いたりすると、ブリッジ部分が動き、弦を伸縮してビブラート（音程を揺らす）のような効果が得られます。主にストラト・タイプのものに搭載されていますが、レスポール・タイプでも付いているギターがあります。

3 チューニングの仕方

チューナー

弦楽器のギターは、ピアノ等と違い音が狂いやすいので、**演奏する前に必ずチューニング**を行いましょう（チューニングとは、弦の音を正しい高さに合わせること）。

チューニングは基本的に、チューナーを使ってチューニングします。楽器店では、ヘッドに挟んで使用するクリップ式タイプの物や、シールド（P.14参照）を差して使用するタイプの物、足下に置いてエフェクターのように使える物等、様々な物が売られています。

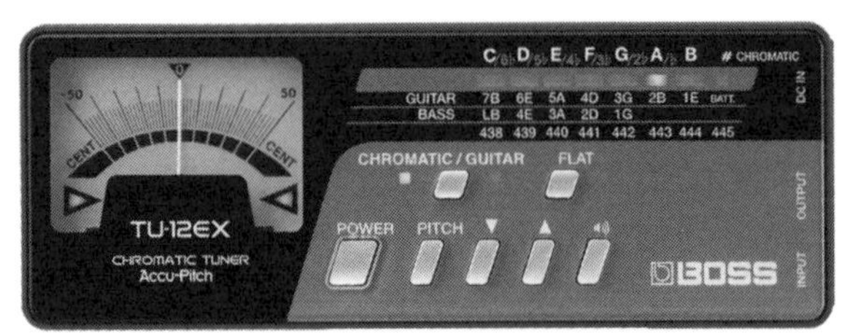

シールドを差して使用するタイプ

クリップ式タイプ

各弦の音を把握！

ギターのチューニングを始める前に、まず、各弦を「どの音に合わせる」かを把握しておきましょう。指で、どこも押さえていない状態の弦を**開放弦**と呼び、開放弦の音をチューナーを使って合わせます。この開放弦の音は、図のように、「**6弦E（ミ）、5弦A（ラ）、4弦D（レ）、3弦G（ソ）、2弦B（シ）、1弦E（ミ）**」になります。

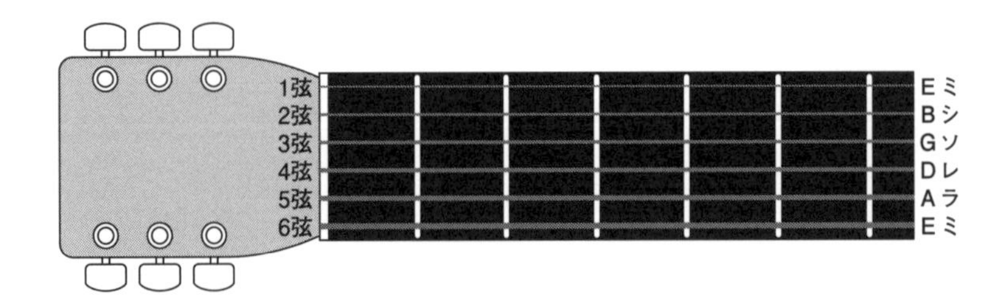

この音の並びを、楽譜でも見てみましょう。音の並びは、毎回演奏する前にチューニングしていれば、おのずと覚えられます！

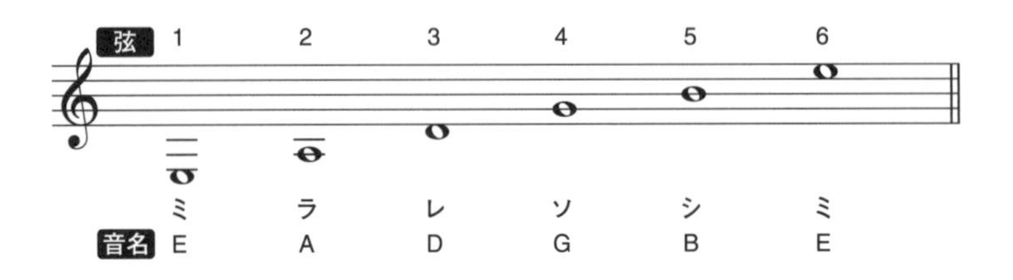

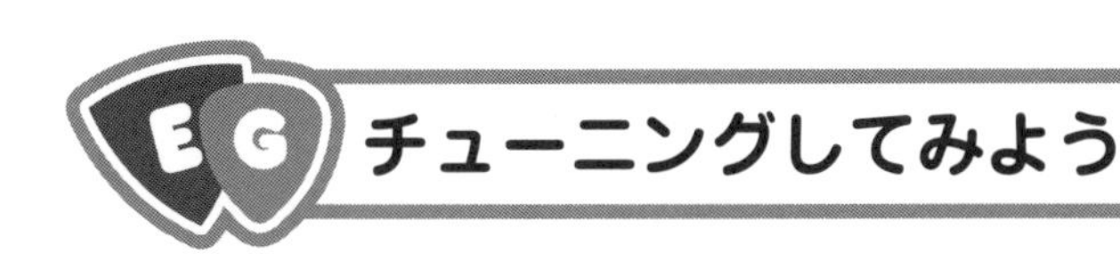

チューニングしてみよう

　それでは、実際にチューニングしてみましょう。シールドを差し込むタイプのチューナーであれば、シールドとギターを接続して**1番低い6弦から**1本ずつ弦をはじいてチューナーを見ながらチューニングしていきます。以下の図を見ながら順々に行いましょう。

チューナーの見方

音が低い

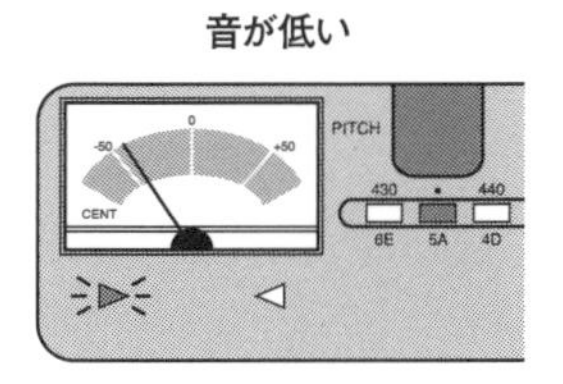

左側に針が振れていたら、ペグを締めて音を高く上げる。

合っている

真ん中に針が合ったらチューニング完了。

音が高い

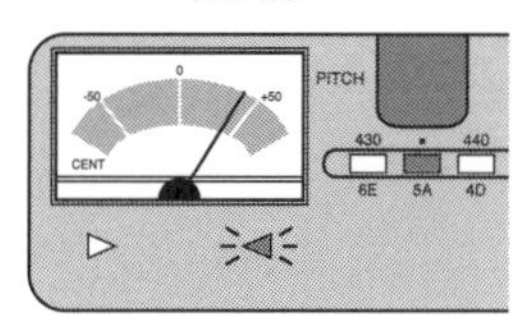

右側に針が振れていたら、ペグを一度ゆるめてから徐々に締めて音を上げる。

チューニングの手順

①6弦をEに合わせる

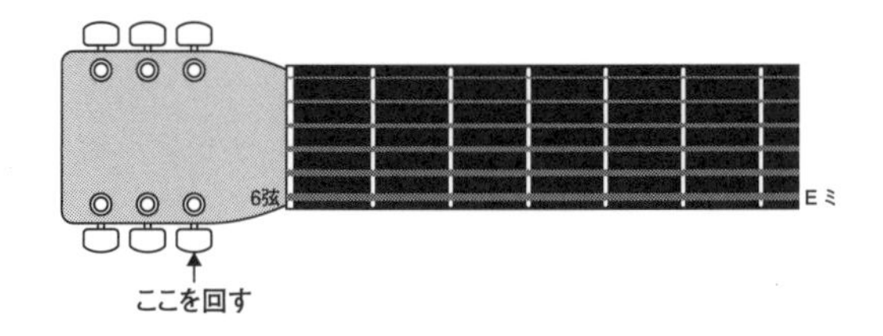

②5弦をAに合わせる

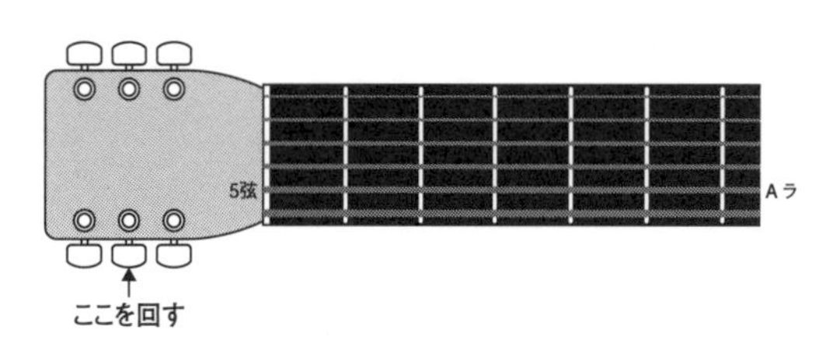

③4弦をDに合わせる

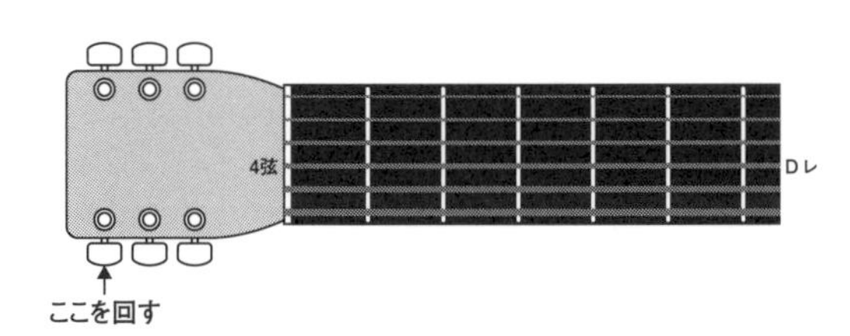

④3弦をGに合わせる

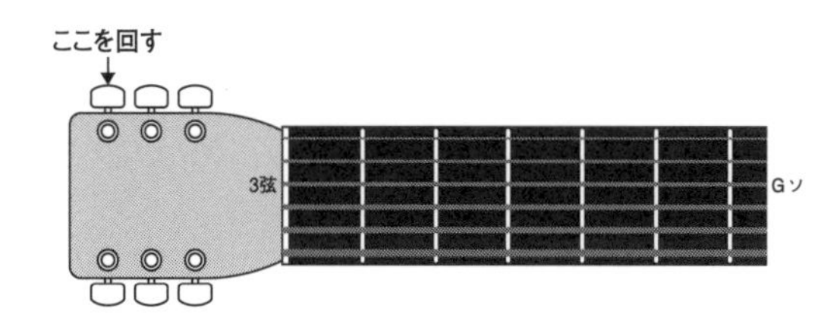

⑤2弦をBに合わせる

⑥1弦をEに合わせる

▼チューニングのコツ

①ペグはゆっくり回しましょう

②ペグは常に締めましょう

ギターのペグは、ほんの少し回しただけでも思った以上に音程が変わります。「なかなか合わない！」と思いながら回していると、目的の音を通り越してしまいます。ですので、少しずつゆっくり回しましょう。

さらに、チューニングの際にペグを緩めて合わす（高い音から合わす）と、演奏中にチューニングがずれてしまう可能性が高くなります。チューニングして音が高い場合は、**一度ペグを緩めて音を下げてから**、徐々にペグを締めて合わせましょう。

音を出してみよう

この章では、実際に音を出してみましょう。アンプとの接続の仕方やアンプのツマミの説明、演奏姿勢から TAB の読み方を紹介します。

特に演奏をする際の姿勢は、よく確認しましょう。おかしな姿勢で練習を続けてしまうと手を痛めてしまう原因になります。

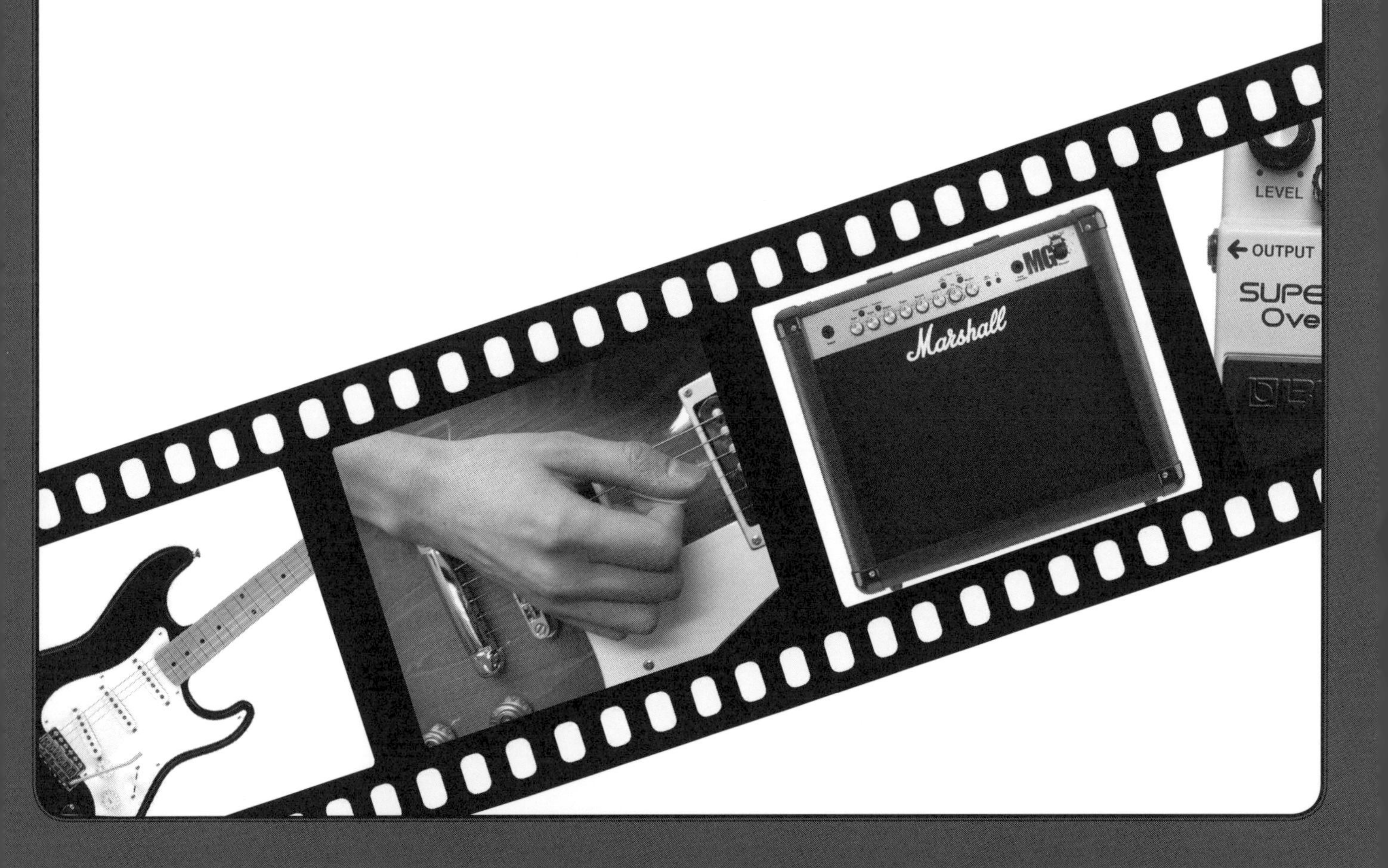

セッティングをしよう

それでは早速、エレキ・ギターを弾くためのセッティングを行いましょう。エレキ・ギターはアンプから音を出すので、アンプにコードを接続しなくてはなりません。このコードのことを**シールド**と呼びます。一般的なテレビ等の家電製品と全く同じですね。

アンプと接続

それでは、ギターとアンプをシールドで接続しましょう。接続の手順を確認してからシールドをインプットに差し込んでみましょう。

Marshall / MG30FX

電源を入れるとき

①ギターのボリュームが0になっているのを確認
②アンプの電源がOFFになっていることを確認
③ギターとアンプをシールドで接続する
④アンプの電源を入れる。スタンバイのスイッチがあるアンプは、電源を入れてから1～2分後にスタンバイのスイッチを入れる。
⑤ギターのボリュームを上げ、アンプのボリュームを少しずつ大きくし、音質を確認する

電源を切るとき

①ギターのボリュームを0にする
②アンプのボリューム、その他のノブを0にする
③電源を落とす。スタンバイ・スイッチがあるアンプは、先にスタンバイ・スイッチを切り、数秒待ってから電源を落とす
④シールドを抜く

※スタンバイ・スイッチがあるアンプで休憩をとる場合は、スタンバイ・スイッチのみを切りましょう。電源を落としてしまうと、再度電源を入れる際に1～2分待たなければなりませんし、アンプにも良くありません。

アンプには、色々なツマミが付いています。アンプによって付いているツマミも様々ですが、代表的なツマミを紹介しましょう。

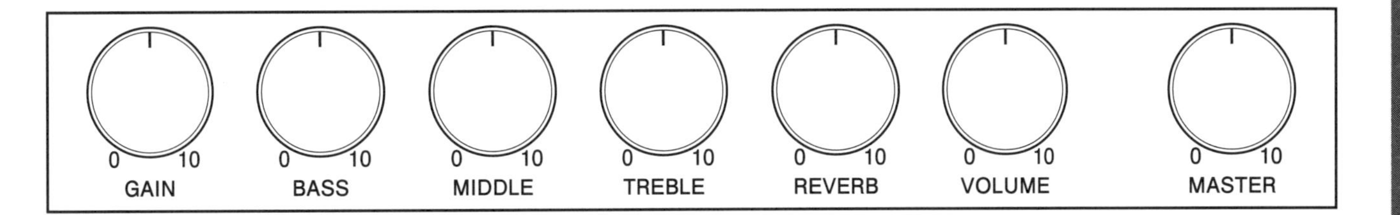

•GAIN

歪みの量を調節するツマミです。ツマミを回すことで、歪みの量が増していきますが、**同時に音も大きく**なっていきます。アンプによって歪む量は、かなり差があります。

•BASS（低音）

低域を調節するツマミです。太い弦の音を大きくするか、小さくするかが、このツマミで決まります。あまり大きくしすぎると、「モコモコ」した音になります。

•MIDLLE（中音）

中域を調節するツマミです。このツマミを大きくすると、音が前に出てきます。音量をあまり上げたくなく、自分の音が聴こえにくい場合は、MIDLLEをいじると良いでしょう。

•TREBLE（HIGH）（高音）

高域を調節するツマミです。細い弦の音を大きくするか、小さくするかが、このツマミで決まります。あまり上げすぎると、「キンキン」して耳が痛くなります。

•REVERB

残響音を調節するツマミです。お風呂の中をイメージしてもらえると分かりやすいかと思います。ツマミをあげていくと、まさにお風呂サウンドになります。

•VOLUME

その名の通り、音量を決めるつまみです。アンプによってはMASTER VOLUMEとVOLUMEが2つ付いているアンプもあります。この場合は、MASTER VOLUMEで最終的な音量を決定します。VOLUMEが**GAINの代わり**になっているアンプもあるので、注意しましょう。

演奏姿勢

ギターの構え方に、特に決まりはありません。ロック・ギタリストは立って弾くとき、ストラップを長くし、ギターを低い位置で構えているギタリストもいますし、ジャズ・ギタリスト等の場合は、高く構えているギタリストもいます。立って弾く場合は、低く構えるとカッコ良く見えるようになりますが、弾きにくくなってしまいます。逆にストラップを高くすると座って弾く状態にかなり近付けるので、安心して演奏に集中できるでしょう。

座って弾く姿勢

低めのイスに座って、ギターのボディの凹んでいる部分を右足の太ももの付け根に乗せます。そして右腕の肘から下をボディにかけ、肘でボディを締めます。すると自然とネックが前に45°ぐらい出てきます。この状態で左手を添えて、弾くと良いでしょう。

側面から見た姿勢

右腕でギターを体にくっ付ける

正面から見た姿勢

右腕でギターのボディを体にくっ付けると自然にネックが前に出る

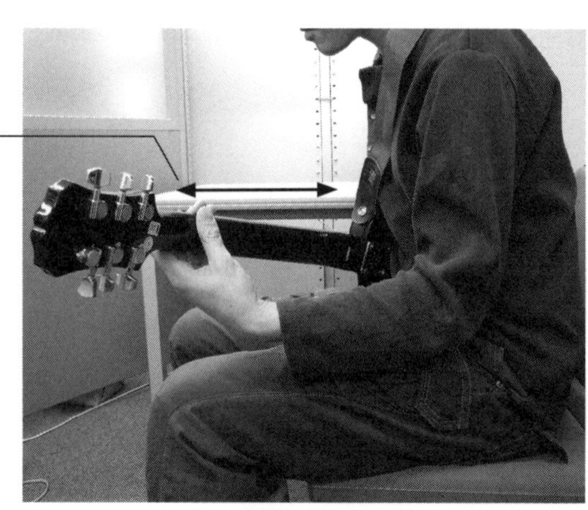

ヘッド側から見た姿勢

立って弾く姿勢

立って弾く場合は、やはりストラップの高さが弾きやすさに影響してきます。ベストの位置を見つけて何度も弾いて慣れましょう。主に、お腹から腰ぐらいにギターのボディがくるのが一般的です。

ストラトやレスポール・タイプは、ストラップをかけた状態で自然とヘッドが上向きになります。しかし、ギターによっては（変形ギターやSG等）はヘッドが重く、ヘッドが下がってしまい少々弾きづらくなります。頑張って慣れましょう。

それから、立って弾く場合は、自然とギターのネックと体が平行になります。ストラップの高さにもよりますが、やはり座ってる状態と同じようにネックを**前に出した方**が弾きやすくなります。

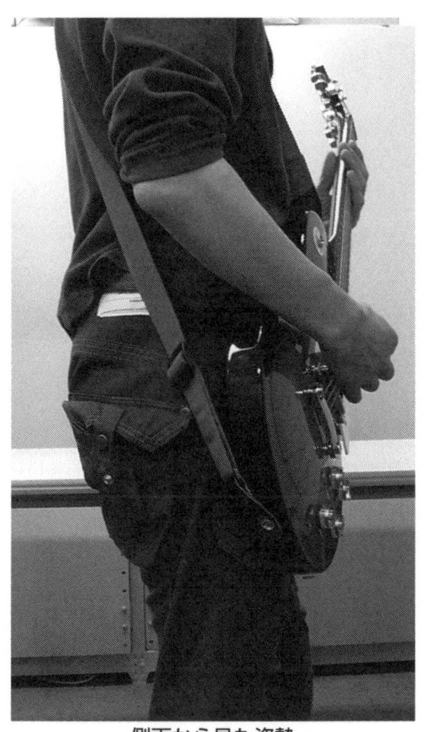
側面から見た姿勢

正面から見た姿勢

座っている時と同じようにネックを
少し前に出すと弾きやすくなる

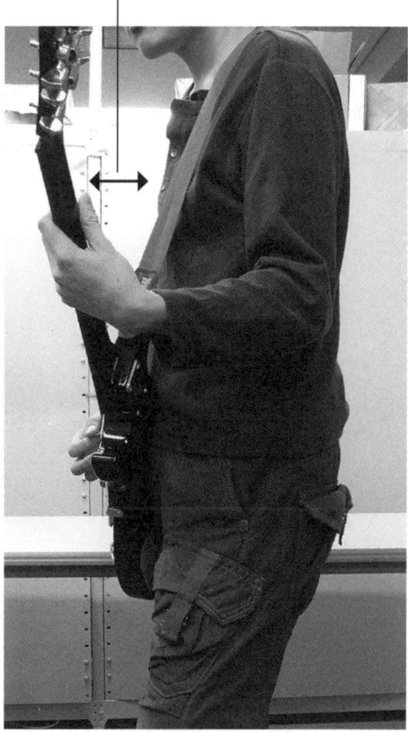
ヘッド側から見た姿勢

SECTION 3 左手の構え方

それでは実際に、左手でネックを握ってみましょう。フレーズによって弾きやすいフォームがありますので、臨機応変に切り替えていくと良いでしょう。

クラシック・フォーム

バレー・コードを弾くときや、手を広げないと届かないフレーズ等で使用すると良いでしょう。注意すべき点は、

①肘を落として、ネックを挟み込むイメージで持つ
②親指を広げない
③指の形をフレットと平行にする

ロック・フォーム

チョーキングやビブラート、単音カッティング等のフレーズで使用すると良いでしょう。ネックを持つときは、人差指の付け根と親指でネックを支えるようにします。つまり、手の平とネックの間に少し空間が生まれます。クラシック・フォームと違い、フレットと指が平行にはなりません。

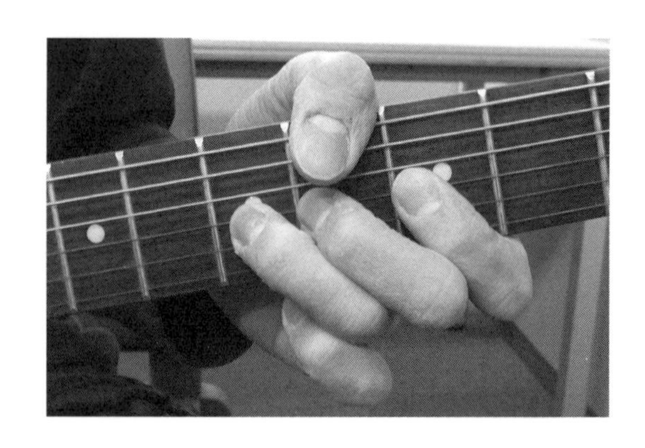

▼弦を押さえるときのポイント

弦を押さえるときは、写真のように指を立て、フレットのブリッジ寄りを押さえます。そうすることでキレイに音が鳴ります。指が寝てしまったり、ヘッドよりの所を押さえるとキレイに音が鳴りません。

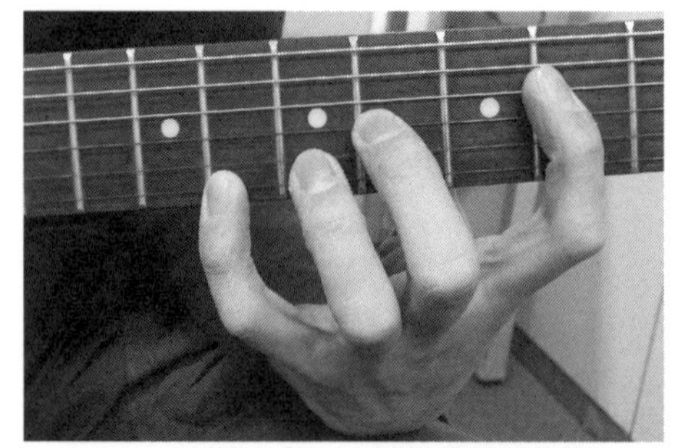

フレット付近、ブリッジ寄りを押さえる！

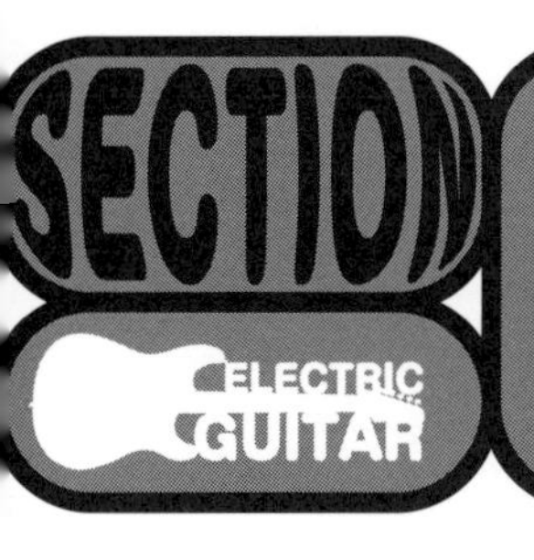

SECTION 4 ピッキング

左手でネックを持ったら、右手でピッキング（ピックで弦を弾くこと）してみましょう。エレキ・ギターは、基本的にピックを持って演奏するのでピックを持ちます。持ち方は特に決まっていませんが、基本的な持ち方があり、上達にも近道なので覚えておきましょう。

ピックの持ち方

ピックは、基本的に人差指と親指で、**軽く**持ちましょう。軽く持つことを基本にすると、後々演奏中に**強弱**ができるようになりますし、コードを弾く際も軽く持った方がピックがしなり、良い音が出ます。

人差指と親指以外の指は、基本的には**軽く握った状態**にしておきます。これは、握っている方が余計な力を使わなくて済むからです。しかし高音弦（1～2弦）をミュートしたい場合等は、積極的に広げてピッキングしましょう。

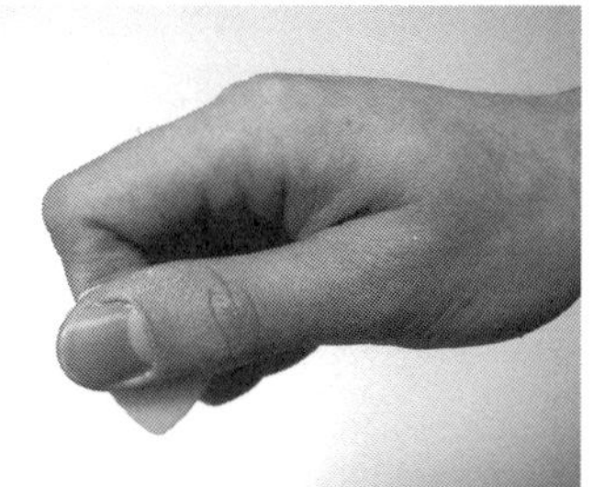

ピックを持つ

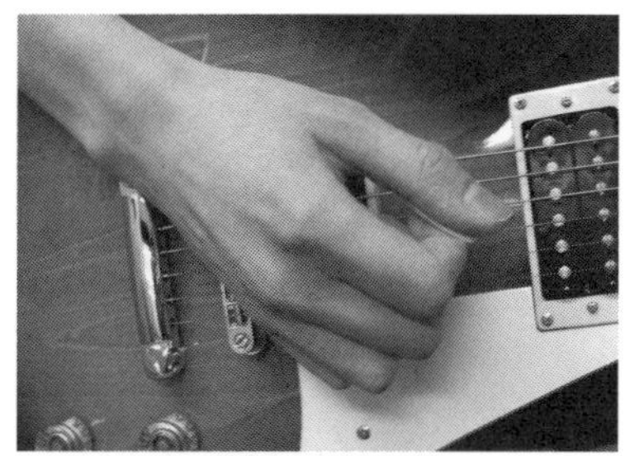

手を広げない

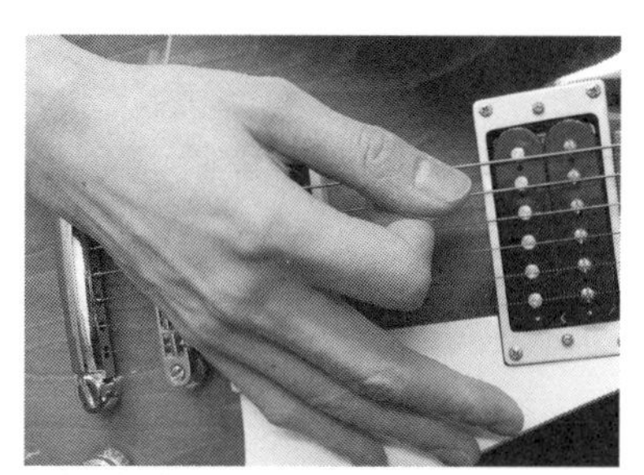

手を広げると余計な力を使ってしまう

ピックの角度

ピッキングする際の、ピックを当てる角度にも、様々な当て方があります。最初は、平行アングルでピッキングの練習をしてみましょう。上手くピッキングできるようになり、自信がついてきたら、他の当て方も研究してみると良いでしょう。

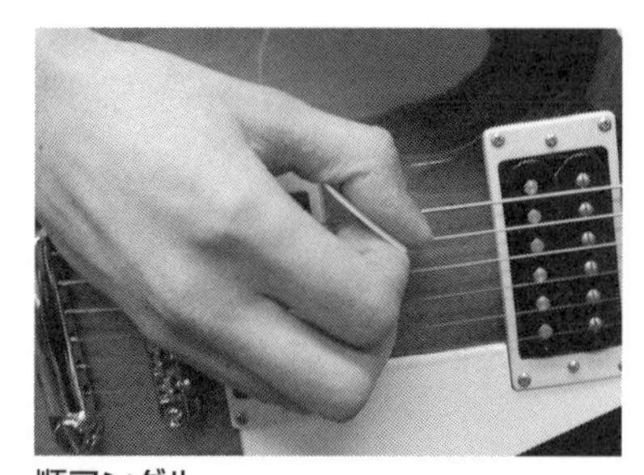

順アングル
弦に対して、ピックをブリッジ側に斜めにし、ピッキングする。歪んだ音が出やすく、ロック系のギタリストに多いピッキング。

平行アングル
弦に対して、ピックが平行な状態でピッキングする。綺麗な音が出やすく、もっとも標準的なピッキングの仕方。

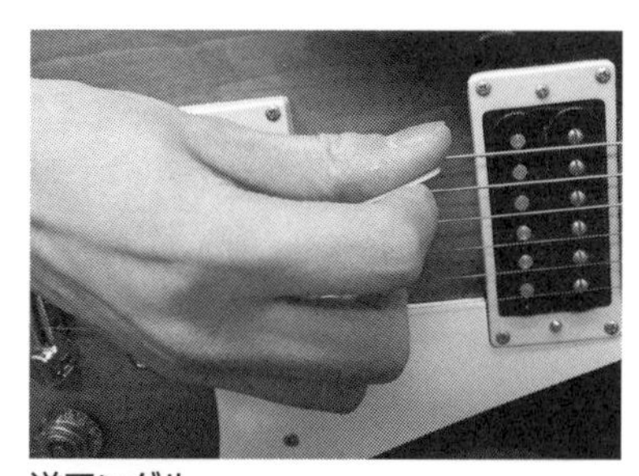

逆アングル
弦に対して、ピックをヘッド側に斜めに、ピッキングする。腕の長い黒人に多く見られるピッキング。音の粒が揃いやすいのが特徴。

ダウン・ピッキング

では、早速ダウン・ピッキングの練習をしてみましょう。ダウン・ピッキングとは、**上(6弦側)から下(1弦側)**へピッキングすることを言います。ピッキングをするときは、肘を使うのではなく、手首の回転を使うようにします。

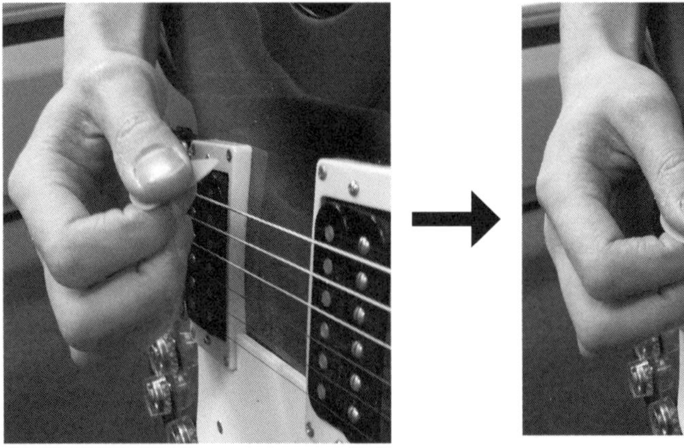

ダウン・ピッキング前　　ピックを弦に当てた所

アップ・ピッキング

ダウン・ピッキングとは逆に、**下から上に**ピッキングすることを言います。ダウン・ピッキングと同様に手首の回転を使ってピッキングしましょう。

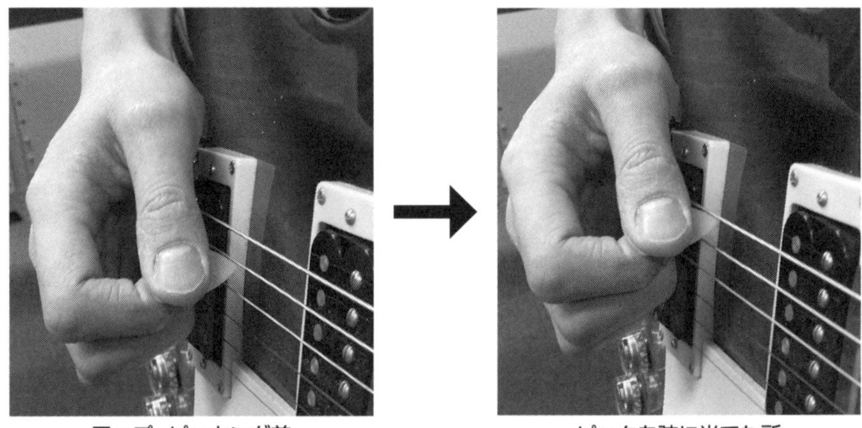

アップ・ピッキング前　　ピックを弦に当てた所

オルタネイト・ピッキング

ダウン・ピッキングとアップ・ピッキングを**交互に繰り返す**ことを、**オルタネイト・ピッキング**と言います。ダウンとアップのピッキングの強さが、同じになるように練習しましょう。

TAB譜の読み方

演奏姿勢や構え方も分かり、「さぁギターを弾くぞ～！」といきたいところですが、先に楽譜の読み方を覚えておきましょう。難しそうなイメージがありますが、ギター用の簡単な楽譜があります。それがTAB譜です。まずは、TAB譜の読み方を覚えてしまいましょう。

TAB譜は、ギターを持ってネックを上から覗き込んだ形が、そのまま楽譜になっています。６本の横線が弦、その上に並ぶ数字がフレットになっていて、リズム（音の長さ）は五線譜と同じです。

TAB譜の読み方

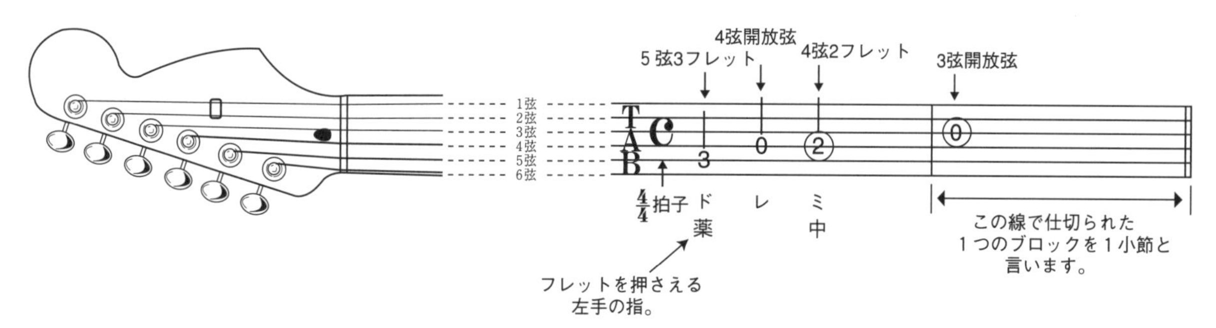

4/4って？

拍子は、１小節の中に入る音符の数を表しています。分母が**基準の音符**、分子が**入る数**を表しています。つまり、この楽譜だと「１小節に４分音符が４つ分入る」になります。その他を例にすると、

- 5/4＝４分音符が５つ入る
- 2/2＝２分音符が２つ入る

このようになります。

リズムを理解しよう

どこを押さえて弾くか分かったら、次はどんなタイミングで弾くかを身に付けましょう。音符は、種類によって**延ばす長さ**が違います。休符も同様に、種類によって**休む長さ**が違います。

リズムを目で見て確認！

①では、最初に右記の表を見てみましょう。全音符は「４つ分の長さ」、ということが見て分かると思います。（4/4の場合）

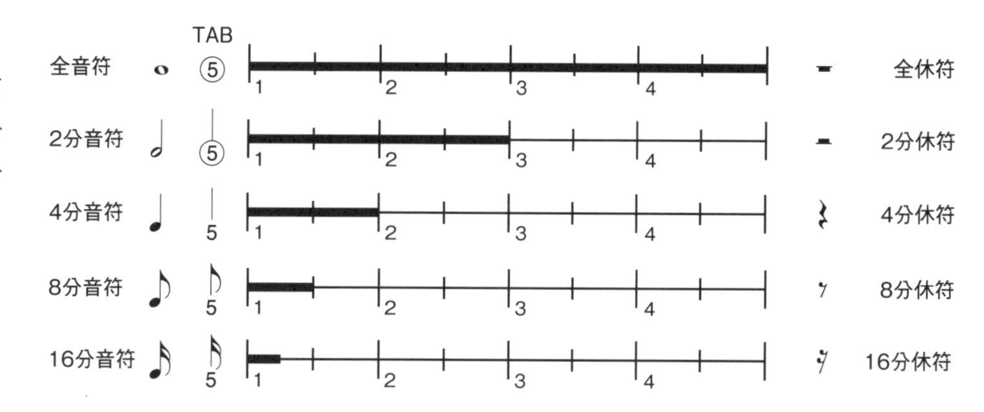

②次に「1、2、3、4、1、2、3、4、」と時計の針やメトロノーム等に合わせながら数えてみましょう。このとき、両手も同時に使います。左手を広げて、右手は矢印のように人差指でなぞります。図のように指と指の間に丁度1、2、3、4、が入るように数えましょう。

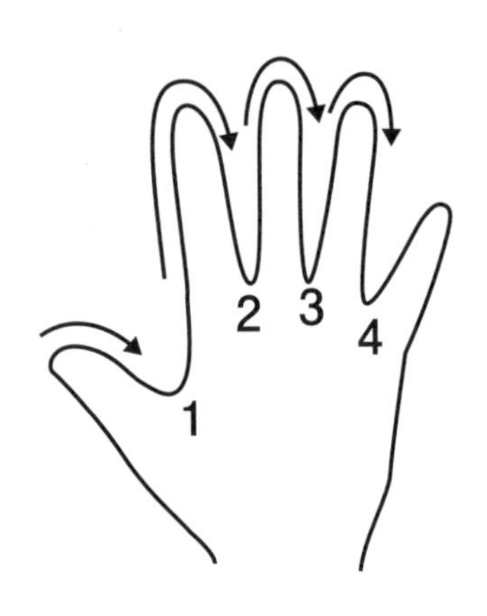

この、1～4までが4つなので、全音符の長さになります。さらに、「1、2、3、4、」の1つ1つの長さは1つ分の長さなので、4分音符の長さになります。そして、4分音符の長さを1拍、全音符の長さを4拍と言います。

では、他の音符についても指を使って数えながら考えてみましょう。

2分音符

2つ分の長さになるので、ちょうど人差指と中指の間が2分音符の長さになります。そこから、さらに2つ分数えると薬指と小指の間の位置が2分音符の位置になります。

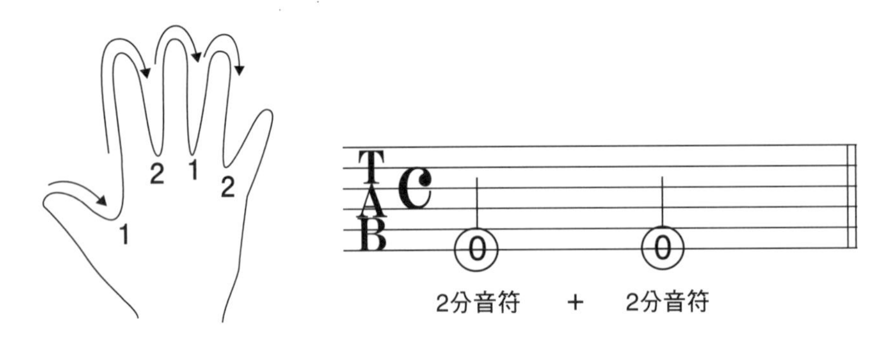

付点2分音符

付点が付く場合は、その**音符の長さの半分の長さ**がプラスされます。付点2分音符の場合は、3つ分の長さになります。

8分音符

8分音符は4分音符の**半分の長さ**になりますので、指のてっぺんの位置と指と指の間になります。数える場合は、イチ、トー、ニー、ト、サン、トー、ヨン、トーと言うと分かりやすいかと思います。

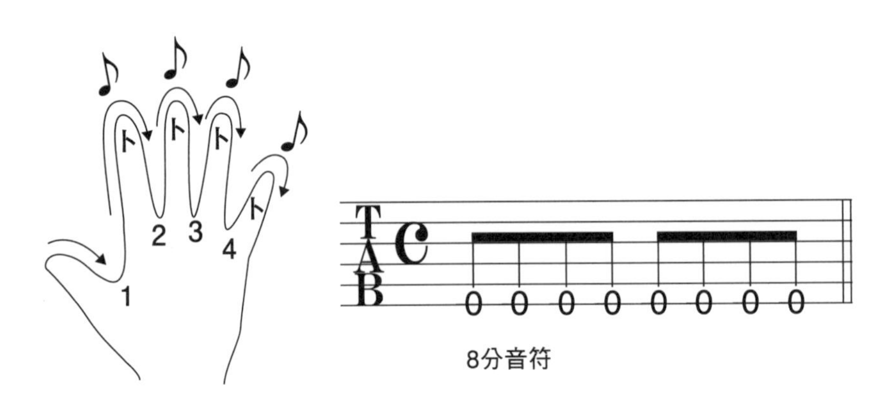

それでは、実際に譜面を読んでみましょう。音符の部分は「タン・タ」、休符の部分は「ウン・ウ」と口に出しながらやりましょう。

•例1

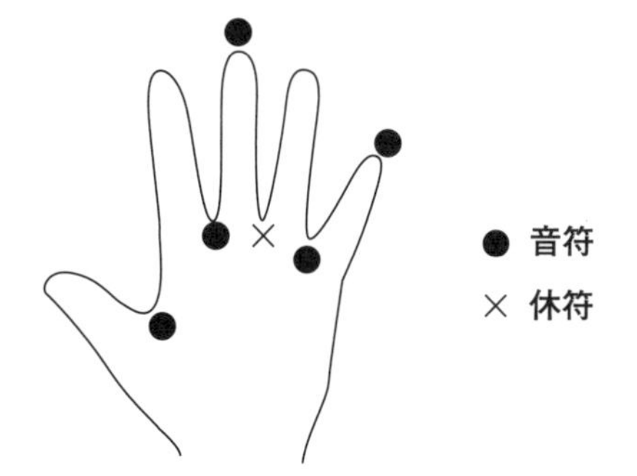

•例2

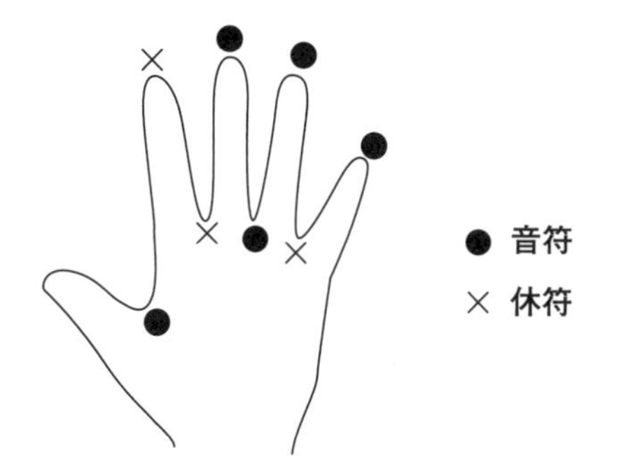

16分音符を数える場合は、さすがに指の数が足りないので、基準を全音符ではなく、2分音にしましょう。16分音符は、4分音符の**4分の1**の長さです。考え方や、やり方は今までと同じです。この方法は、後々出てくるシンコペーション等でリズムが分かりにくい場合も役に立ちます。

※自分の好きなテンポでも「1、2、3、4」と声に出してみましょう。テンポによって、音符の長さは変わります。

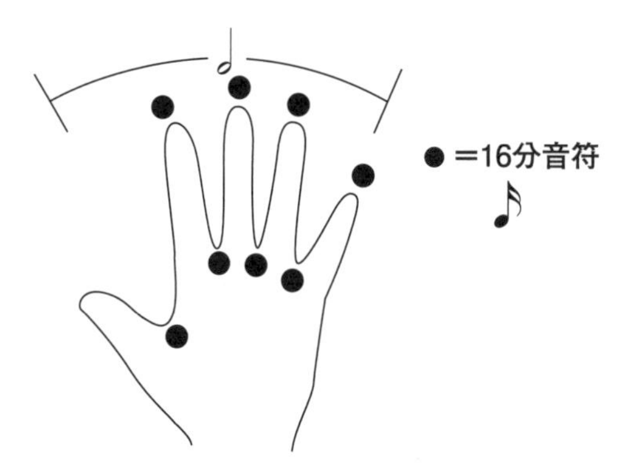

6 ピッキングを練習しよう

いよいよギターを本格的に練習しましょう。まずは、ダウン・ピッキングの練習です。1音1音、確認しながら、ゆっくりピッキングしましょう。正しいフォームを身に付けるためにも、鏡などで自分のピッキングやフォーム、かっこ良く弾けているか！を確認しながら弾くと良いでしょう。

ダウン・ピッキング

譜例1　モルダウ／Bedřich Smetana

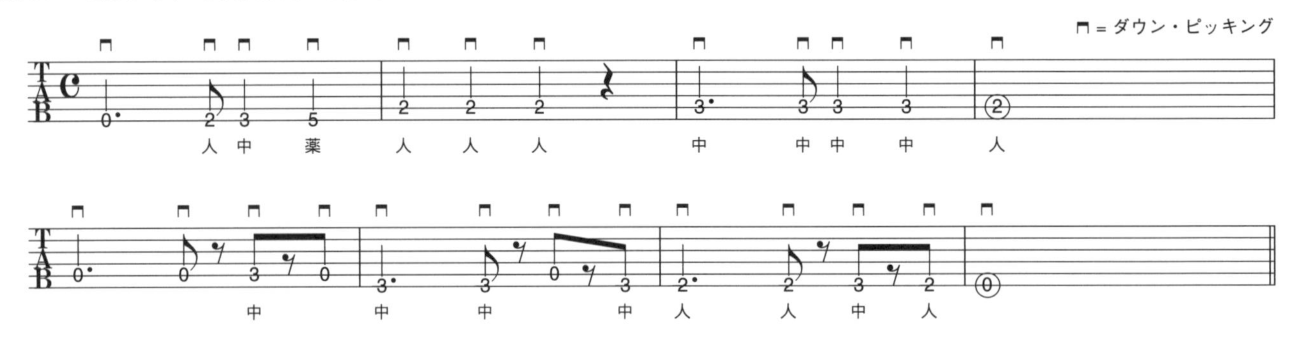

譜例2

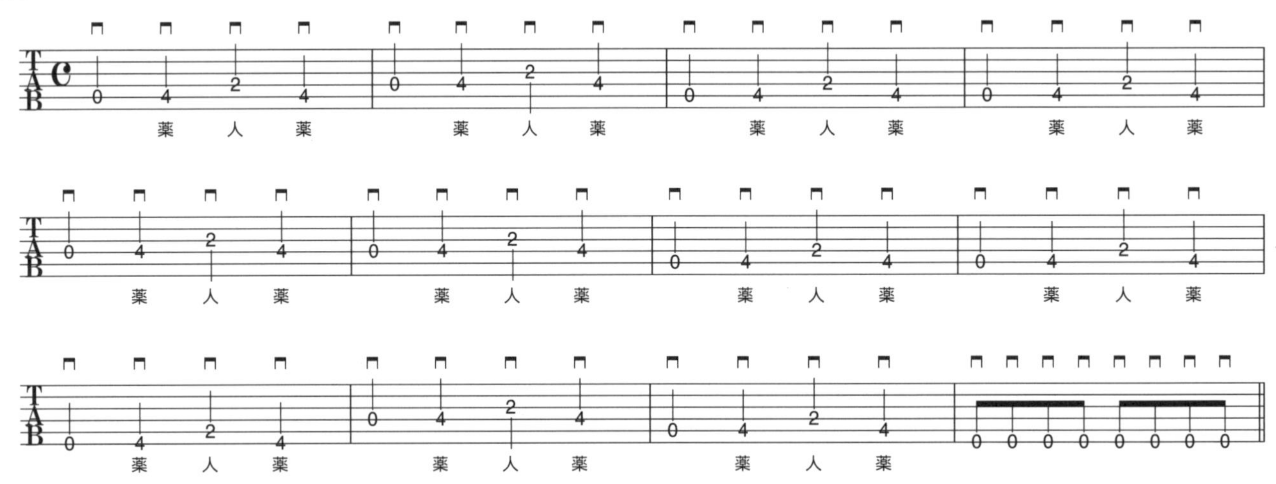

譜例3

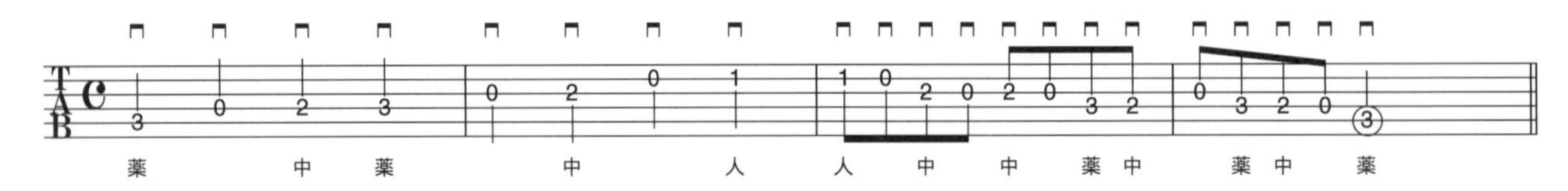

オルタネイト・ピッキング

さらに、アップ・ピッキングも混ぜてオルタネイト・ピッキングで弾いてみましょう。譜例5では、かなり高いポジションまで移動します。焦らずゆっくり練習しましょう。

譜例4

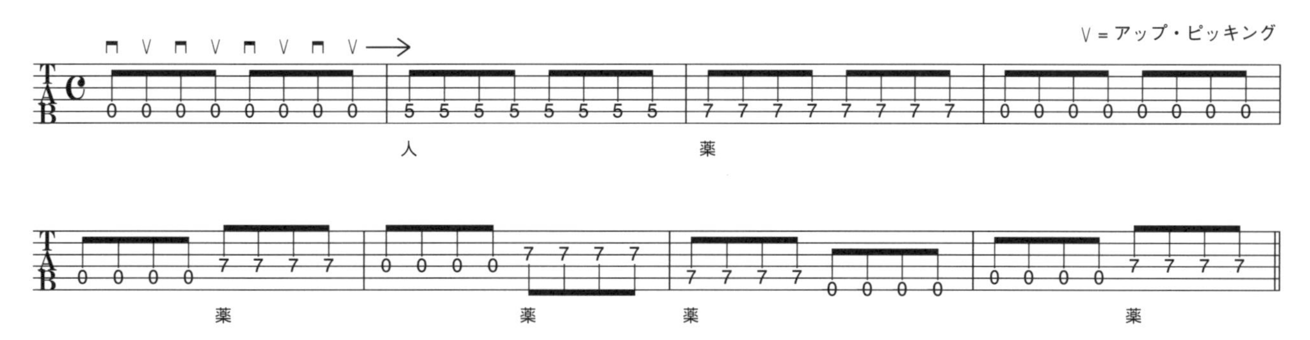

譜例5

SECTION 7 スケールを覚えよう！

ELECTRIC GUITAR

スケールとは、「ドレミファソラシド」等の音階のことを言います。一般的には「ドレミファソラシド」が一番有名ですが、様々なスケールがあります。好きな曲を好きなだけ弾く場合は、特に必要な知識ではありませんが、

- **コピーした曲のギターソロだけ自分で作りたい！**
- **アレンジができるようになりたい！**
- **オリジナル曲を作りたい！**
- **ジャム・セッションに出たい！**

等を考えているなら、覚えておいた方が良いでしょう。これらの練習は、左手の強化にもつながります。

メジャー・スケール

「ドレミファソラシド」にも、きちんとしたスケールの名前が付いてます。「ドレミファソラシド」＝Cメジャー・スケールと言います。では何故、Cメジャー・スケールと言うのでしょう？　ここで指板図の登場です。

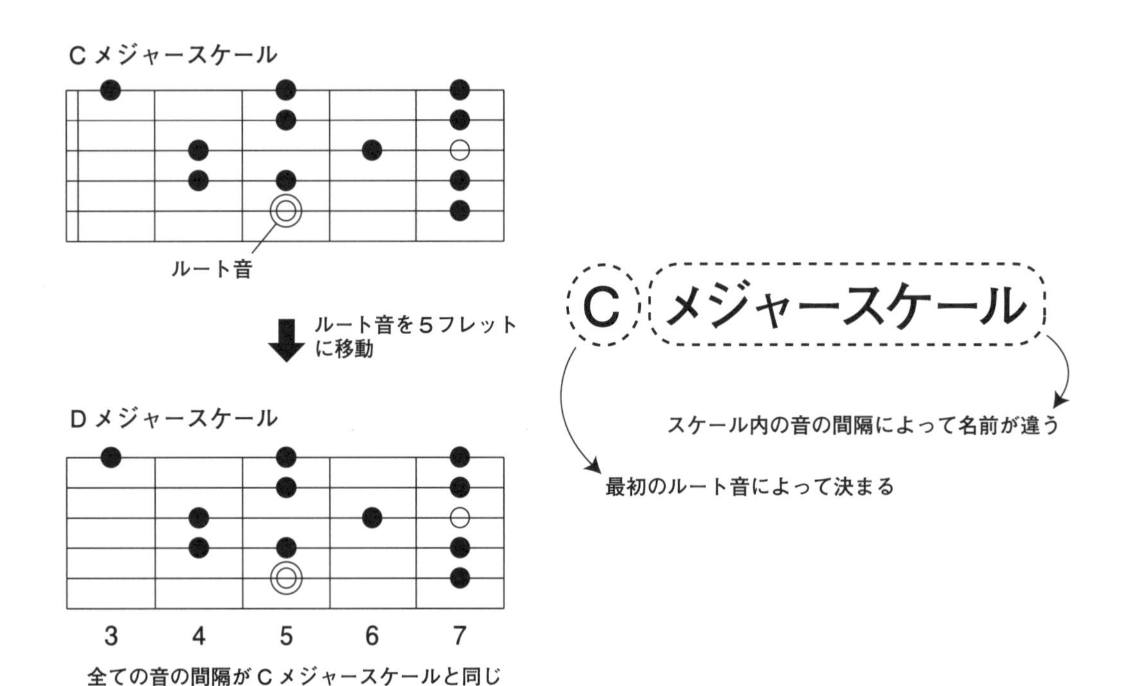

Cメジャー・スケールをギターの指板図で表すと、このようになります。音が１つ飛んでいたり、隣あったりしてますね。この音の**間隔**によってスケールの名前が違います。そして、最初の**ルート音**によって音名(Cの部分)が変わります。ルート音は、スケールの基本の音なのでフレーズを作る際は積極的に使いましょう。

そして、ドレミファソラシドは英語表記にすると「C、D、E、F、G、A、B、C」になります。つまり、この形のままルートを５フレットのレの音にしたスケールは、Dメジャー・スケールになります。ギターは、このようにズラすだけで、スケールを変化させることができる便利な楽器です。これはピアノ等、他の楽器ではできません。

それでは、メジャー・スケールで、「茶色の小瓶」を弾いてみましょう。ここから左手の小指も使っていきます。小指は、慣れないと思うように動いてくれませんが、少しずつ使うことで指が動いてくれるようになるでしょう。焦らずに練習しましょう。

譜例6　茶色の小瓶／ Joseph Winner

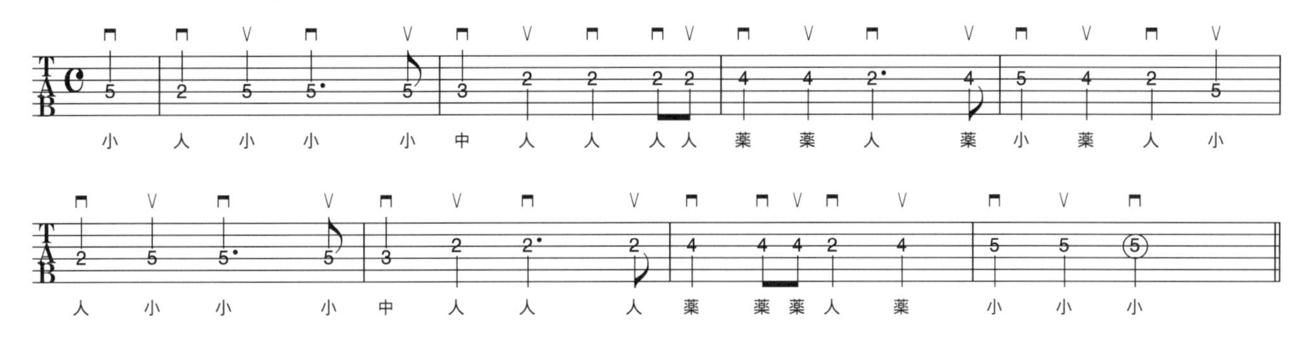

メジャー・スケールを弾くと、とても明るい雰囲気がします。コードでもCメジャーやEメジャー等出てきますが、スケールと同じように明るいイメージです。「**メジャー＝明るい**」と覚えておきましょう。明るいの反対、暗い雰囲気のスケールやコードも、もちろん存在します。**それがマイナー**です。

マイナー・スケール

マイナー・スケールは、「ドレミファソラシド」のように有名なスケールは特にありません。つまり1つ1つの音の間隔を覚えることになりますが、もっと簡単な覚え方があります。先ほどのメジャー・スケールの**6番目の音**をルートにして並べ替えると、マイナー・スケールになります。Cメジャー・スケールを例に見てみましょう。

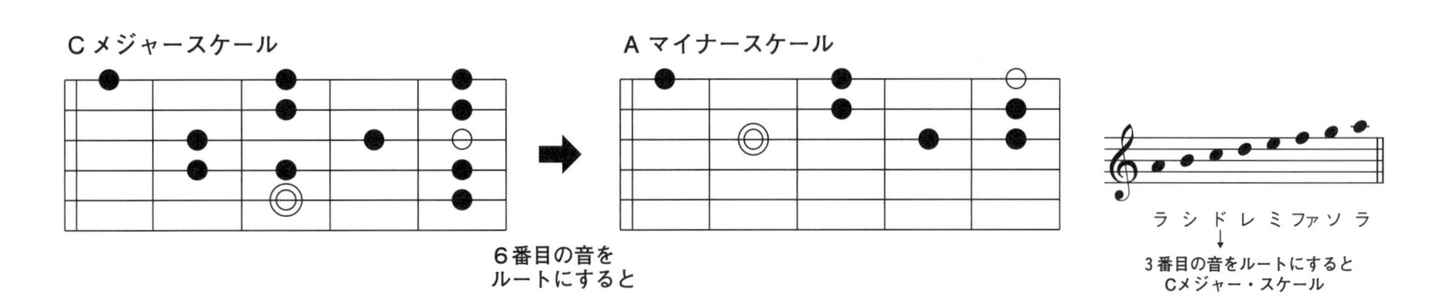

このCメジャー・スケールとAマイナー・スケールの関係を**平行調**と言います。マイナー・スケールからメジャー・スケールを考える場合は、マイナー・スケールの**3番目の音**をルートにして、並べ替えるとメジャー・スケールになります。では、ポジションを整理してみましょう。

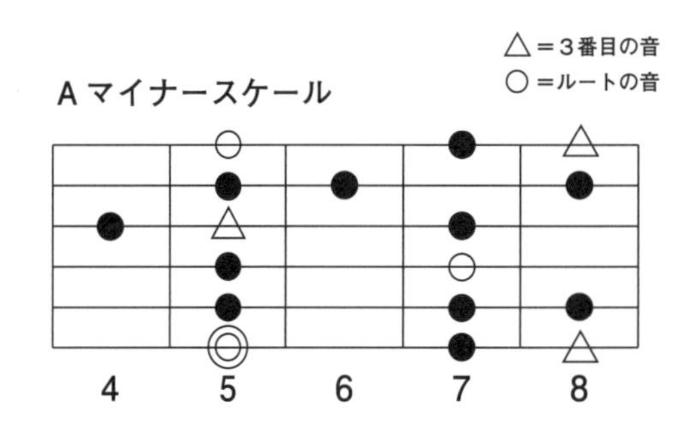

それでは、マイナー・スケールで、「コロブチカ」を弾いてみましょう！　マイナー・スケール独特の暗さが味わえます。

譜例7　コロブチカ／ロシア民謡

ペンタトニック・スケール

全ての音楽ジャンルで、よく聴かれるスケールがペンタトニック・スケールです。このスケールは、これまでのスケールと違い5音で構成され、マイナー、メジャーと**2つの種類**があります。マイナー・ペンタトニック・スケールから覚えるのが簡単ですので、そちらから覚えましょう。

マイナー・ペンタトニック・スケール

淡々と弾くと、演歌のようにも聴こえてくるスケールです。マイナー・スケールの**2番目と6番目の音を抜いた**スケールで、構成音が5音と少ないため、単純なフレーズが多くなりがちです。まずは、先ほどのAマイナー・スケールを例に見てみましょう。このAマイナー・ペンタトニック・スケールのポジションは、ペンタトニック・スケールの中でも一番良く使うポジションです。6弦にルートがあるので、「**6弦ルート**」のポジションと覚えておきましょう。

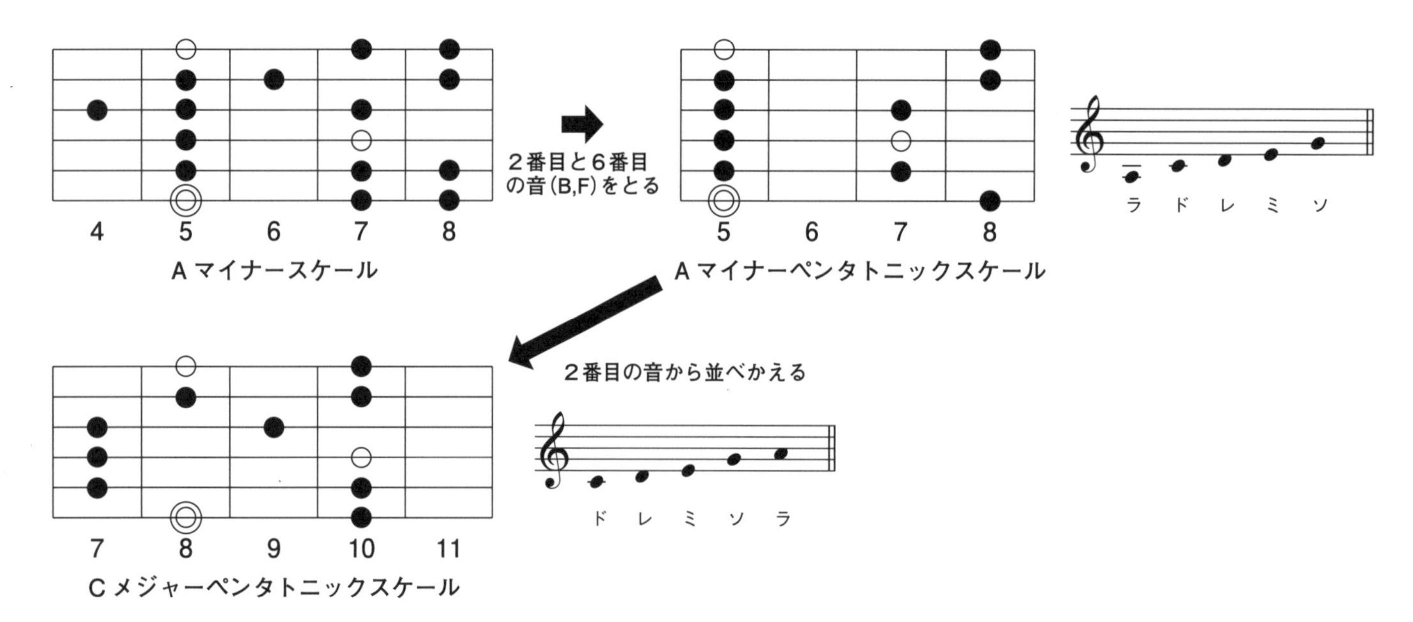

そして、先ほどと同じように平行調を考えると、Cメジャー・ペンタトニック・スケールもできます。

譜例8　マイナー・ペンタトニックのフレーズ例

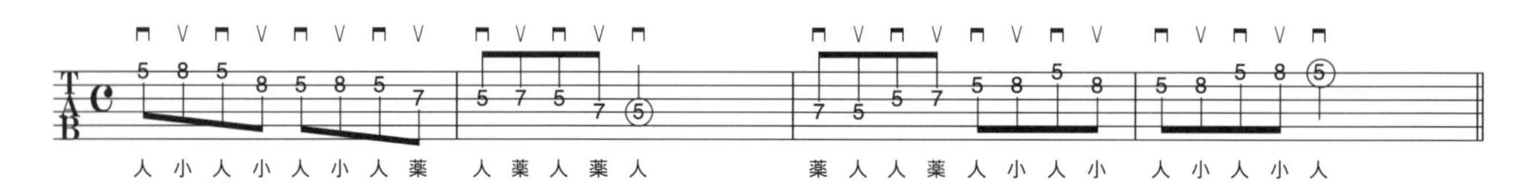

メジャー・ペンタトニック・スケール

こちらも、淡々と弾くと演歌のように聴こえてくるスケールです。先ほどの平行調からメジャー・ペンタトニックを覚えるのも悪くないですが、別の考え方もあります。では、Aマイナー・ペンタトニック・スケールから考えてみましょう。

平行調で考えると F♯ マイナーペンタトニック

○＝A メジャーのルート

△＝F♯ マイナーのルート

5 6 7 8

A マイナーペンタトニックスケール

3フレットヘッド側にずらす

2 3 4 5

A メジャーペンタトニックスケール

ラ シ ♯ド ミ ♯ファ

このように、マイナー・ペンタトニックから**3フレット分ヘッド側のポジション**が、同じルート音のメジャー・ペンタトニック・スケールのポジションになります。両方のペンタトニックを使ってアドリブしたりフレーズを作ったりするときに、役立つでしょう。

譜例9　メジャー・ペンタトニックのフレーズ例

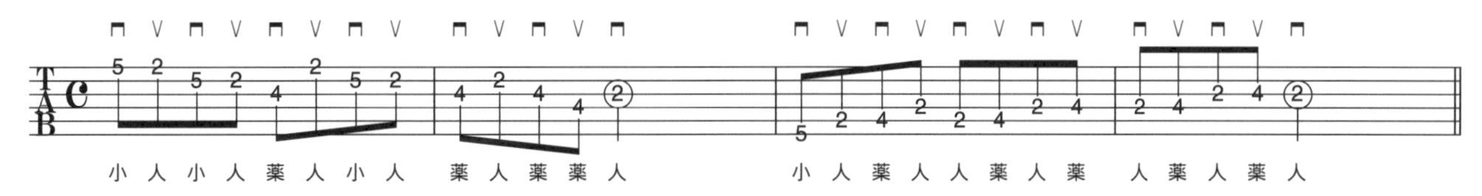

譜例10　マイナー・ペンタとメジャー・ペンタを組み合わせたフレーズ例

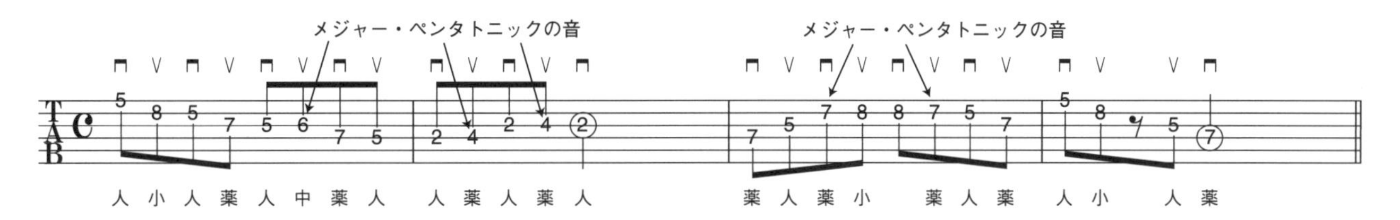

Beginner's Electric Guitar
Basic Textbook

第3章 テクニックを磨こう

この章では、エレキ・ギターの様々なテクニックを紹介します。コードを弾きたいという方は、この章を飛ばして４章の「コードを弾こう」から読んで頂いても大丈夫です。

テクニックを身につけるには、なによりも練習すること、継続的にギターを弾くことが大事です。少しずつ練習していきましょう。

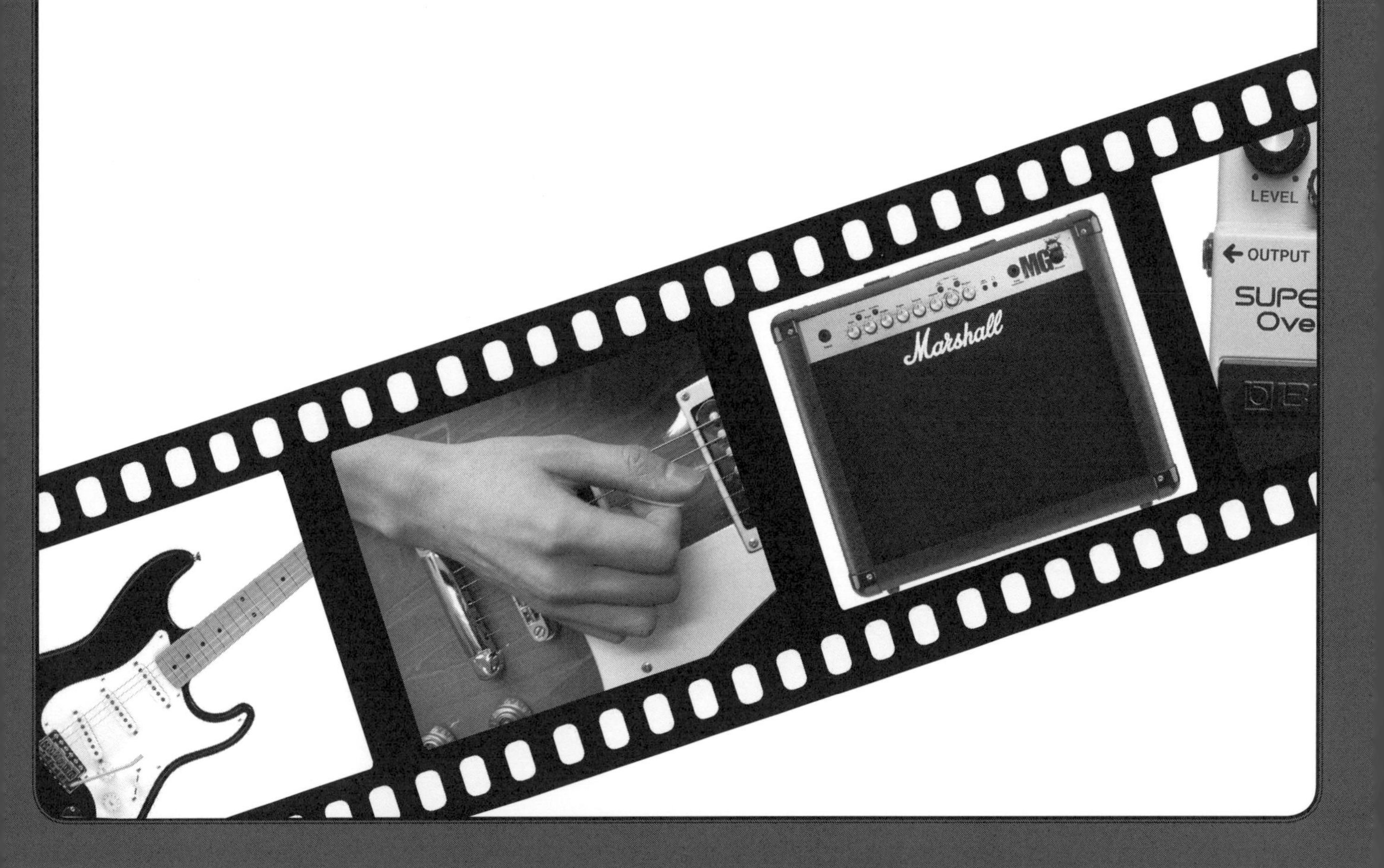

ハンマリング・オン

ハンマリング・オンとは、ピッキングで音を出した後、次の音を左手の指で叩いて音を出すテクニックです。

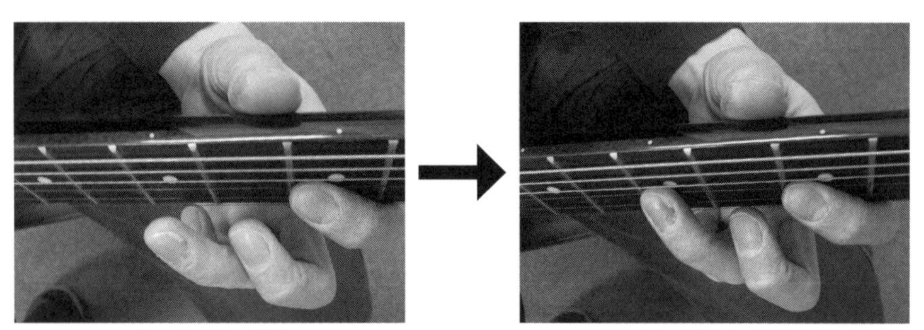

ハンマリング前　　ハンマリング後

ハンマリングの表記

メジャー・スケールで違いを確認！

まずはメジャー・スケールで、ピッキングとハンマリングのニュアンスの違いを、ゆっくりでいいので弾いてみて、耳で確認しましょう。

譜例1

マイナー・スケールのフレーズ例

譜例2

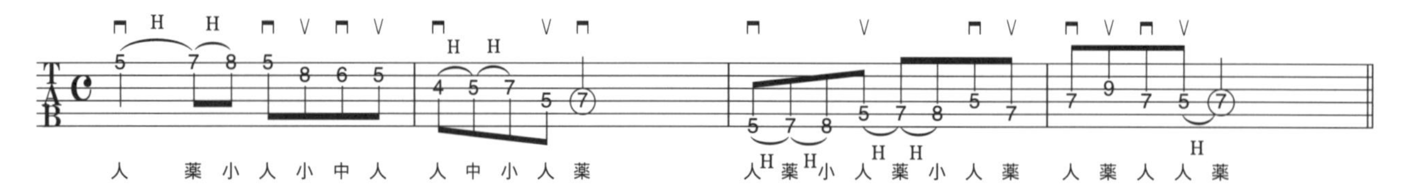

▼ハンマリングのポイント

ハンマリングするときは、指のてっぺんで叩くと綺麗な音が出ます。始めのうちは、きちんと音が出ないと思いますが、何度も弾くうちに手の筋力が付きます。そして、ピッキングと変わりない音量で出せるようになれば完璧です。長い目で楽しんで練習しましょう。

マイナー・ペンタトニック・スケールのポジション1

基本ポジションから、さらに発展させたポジションでハンマリングを使って弾いてみましょう。マイナー・ペンタを知っておくと、そこからマイナー・スケール、メジャー・スケール、メジャー・ペンタへの発展が分かりやすいので、この3章で紹介していきます。

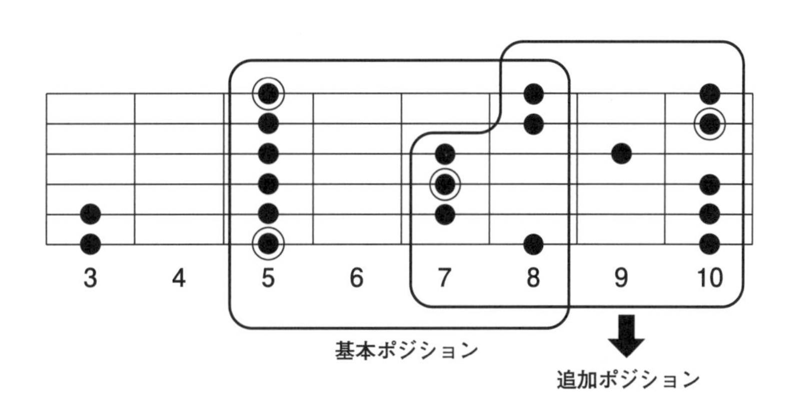

マイナー・ペンタのフレーズ例1

譜例3

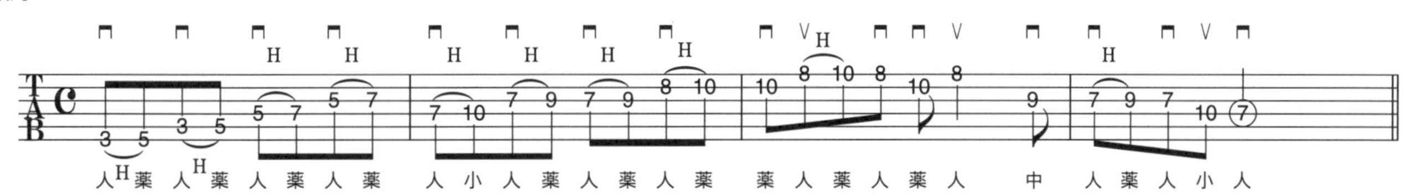

マイナー・ペンタのフレーズ例2

譜例4

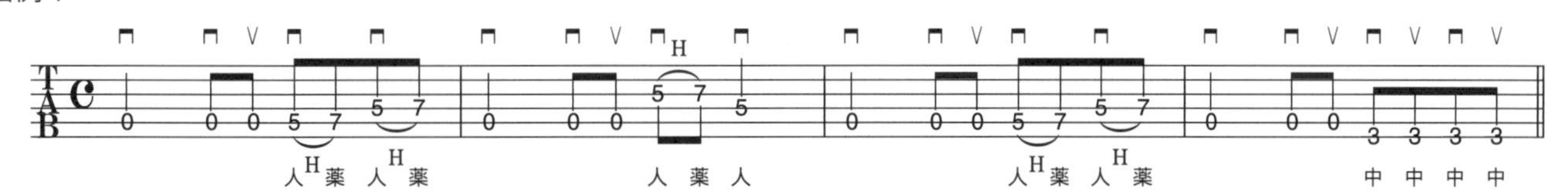

プリング・オフ

プリング・オフとは、ピッキングで音を出した後、次の音を**左手の指で引っ掛けて**音を出すテクニックです。つまり、ハンマリング・オンとは逆の動作になります。

プリング前

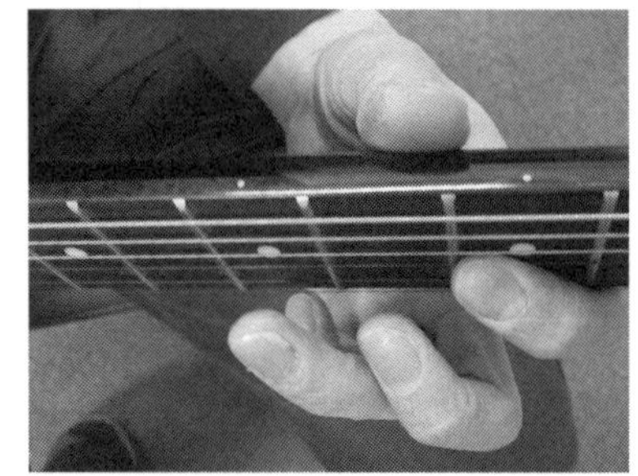

プリング後

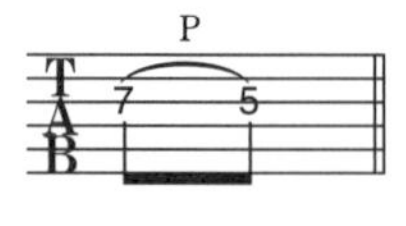

プリングの表記

メジャー・スケールで違いを確認！

ハンマリングと同じように、実際に弾いてみてピッキングとプリングの違いを耳で感じとりましょう。

譜例5

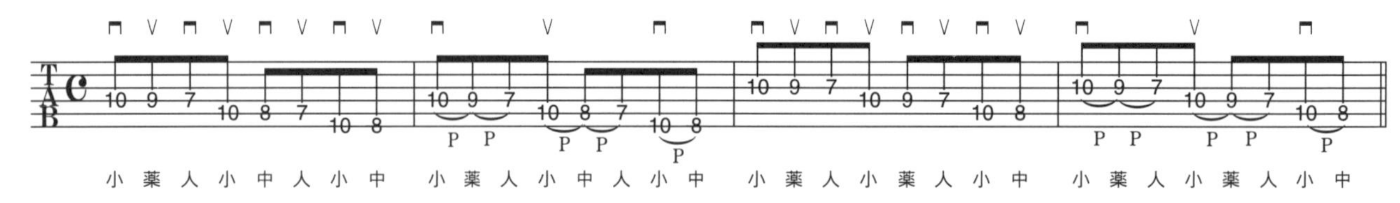

マイナー・スケールのフレーズ例

譜例6

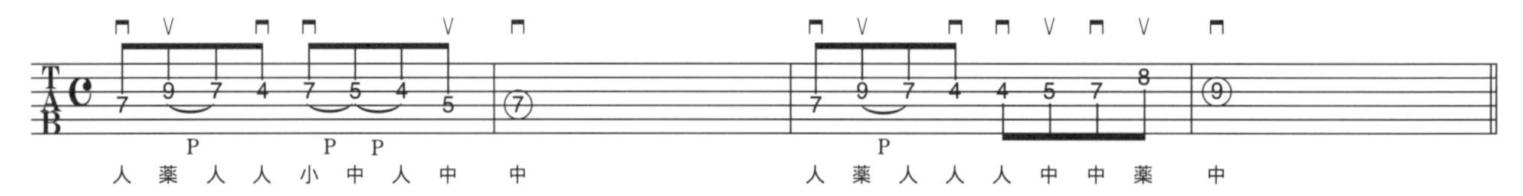

▼プリング・オフのポイント

プリングするときは、あまり引っ掛けすぎず「なでる」イメージでプリングしましょう。ハンマリングと同じように、最初は指も痛くなるかと思いますが、「1回試して弾けなかったから…」と諦めずに、根気よく練習しましょう。

ハンマリングと組み合わせたフレーズ

プリングとハンマリングは、一緒に使うことが多いテクニックです。少し難しくなると思いますが、実際に合わせて練習してみましょう。

メジャー・ペンタでのフレーズ例

譜例7

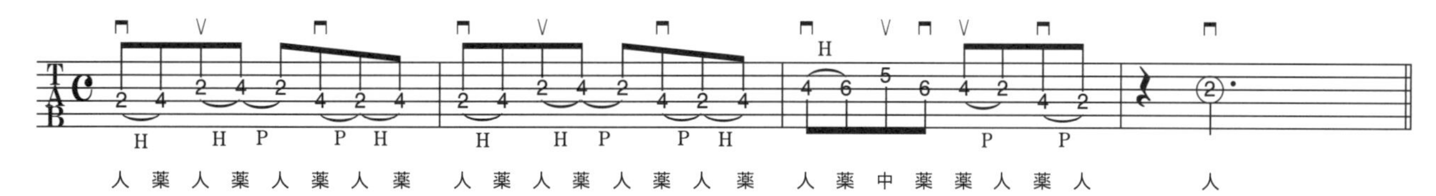

メジャー・スケールでのフレーズ例

譜例8

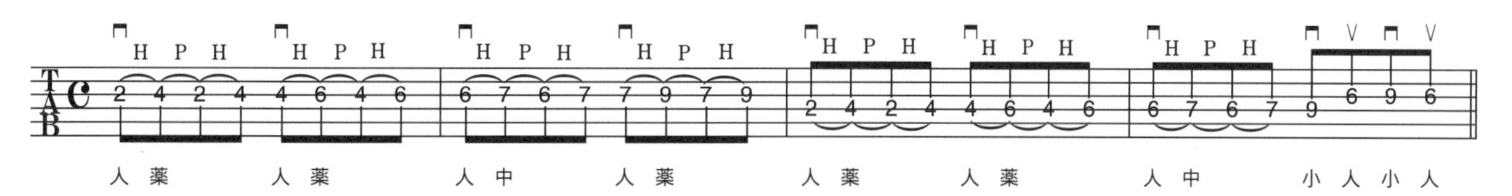

スライド／グリッサンド

スライド

スライドは、弦を押さえたまま、次に押さえるフレットに指を滑らせるテクニックです。2音間を滑らかにつなげたり、装飾的に使ったり、左手のポジションを移動するために使ったりと様々な場面で使われます。

スライド前

スライド後

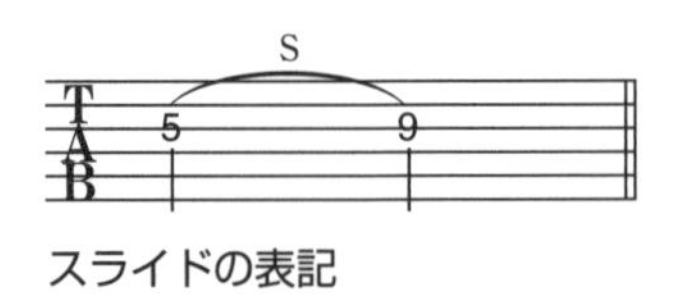

スライドの表記

マイナー・ペンタトニック・スケールのポジション2

それでは、スライドを使ってペンタトニック·スケールを弾いてみましょう。ポジション·チェンジのために、新しいポジションを覚えます。これは、基本ポジションの次に多く使われる「**5弦ルート**」のポジションです。

少し難しくなりますが、ハンマリング、プリングと合わせて使用すると、より滑らかな音になります。

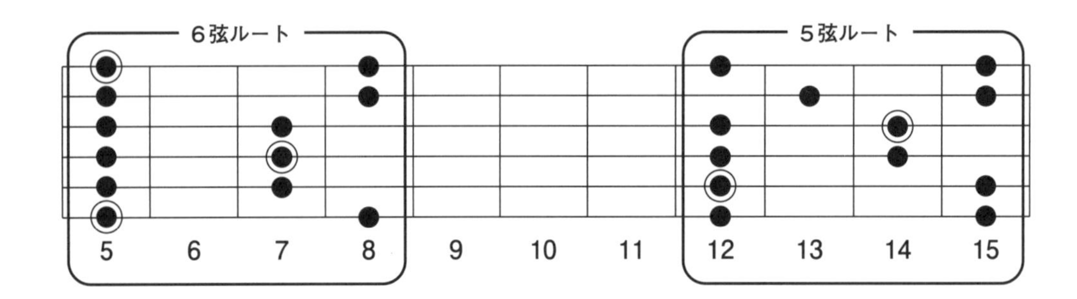

スライドを使ったフレーズ例

では、実際にフレーズで練習してみましょう。譜例10では、5弦ルートのポジションへ一気にスライドします。リズムがよれないよう、ゆっくり練習しましょう。

譜例9

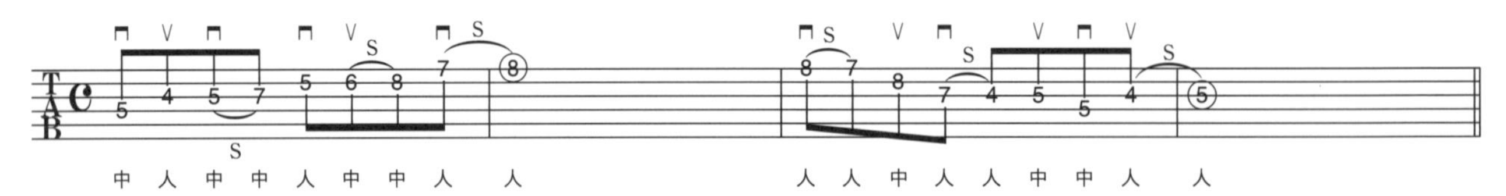

譜例10

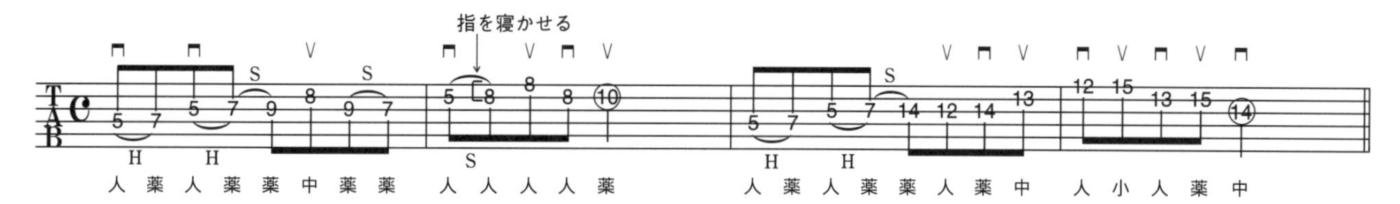

グリッサンド

スライドと同じように、指を滑らせるテクニック。スライドと違う点は、**スライドを始める場所や終わる場所**が決まっていないことです。主にフレーズの最初や、最後に使うことが多いテクニックです。さらにロック等では、歪ませた音で6弦をグリッサンドして「ブーン」と言わせることも多いです。

譜例11

SECTION 4 チョーキング／ビブラート

チョーキング

チョーキングは、弦を「ぐいっ」と曲げることで音程を変え、なんとも言えない音を出すテクニックです。１～４弦は押さえている弦を**上に持ち上げ**、５～６弦は逆に**押し下げて**音程を変えます。チョーキングは、指１本ではなく、**他の指も添えて**補助してあげると良いでしょう。指先の力ではなく、親指を支点にして**手首を回すように**します。

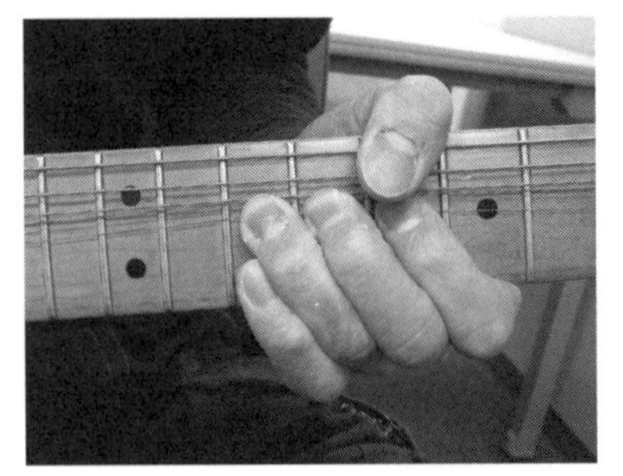

1～4弦のチョーキング

5～6弦のチョーキング

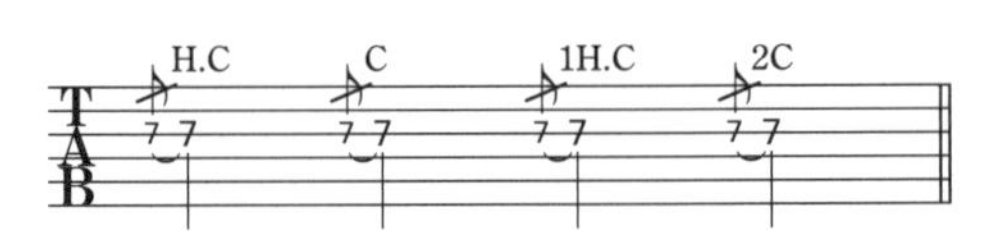

H.C ＝半音チョーキング（半音分、音を上げる）
C ＝１音チョーキング（１音分、音を上げる）
1H.C＝１音半チョーキング（１音半分、音を上げる）
2C ＝２音チョーキング（２音分、音を上げる）

チョーキングの表記

チョーキングは、１音（押さえている音からブリッジ側に２つ隣）や半音（押さえている音からブリッジ側に１つ隣）など、元の音からどれくらい音程を変えるかによって変わります。そして、チョーキングした音を元に戻すことを「**チョーク・ダウン**」と呼びます。

チョーキングをする前に

チョーキングは、ピッチ（音程）が不安定だと、とてもカッコ悪く聴こえてしまいます。まずは、きちんとしたピッチでチョーキングができるようにしましょう。やり方は、色々あると思いますが、

- **チョーキング後の音を実際に弾いてみて、耳で正しいピッチを確認してから練習する**
- **チューニング・メーターを確認しながら練習する**

このような方法があります。

さらに１～６弦とも弦の太さが違いますので、チョーキングする**力の入れ具合**も違います。何度も練習してみましょう。

チョーキングを練習しよう

まずは、ピッキングでフレーズを弾き、その後、同じフレーズをチョーキングを使って弾きます。しっかりと音程を確認しながら弾きましょう。

譜例12

チョーキングを使ったフレーズ例

譜例13

ハーモナイズド・チョーキング

1つの弦の音に対して、別の弦をチョーキングして**和音を作る**チョーキングです。歪ませたギターの音で演奏するとロックな雰囲気になり、ギターが叫んでいるようにも聴こえます。

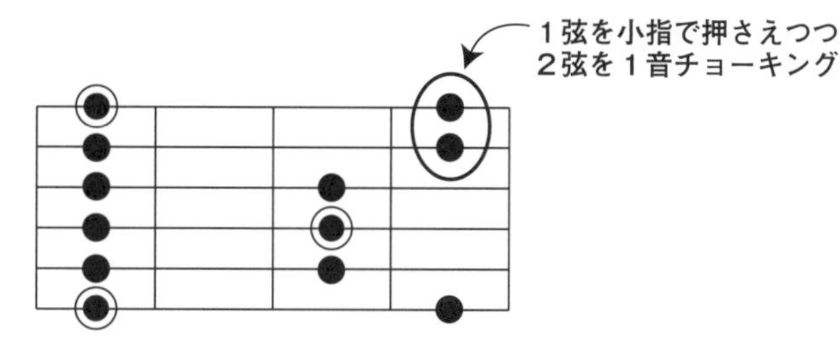

マイナーペンタトニックスケール
6弦ルート

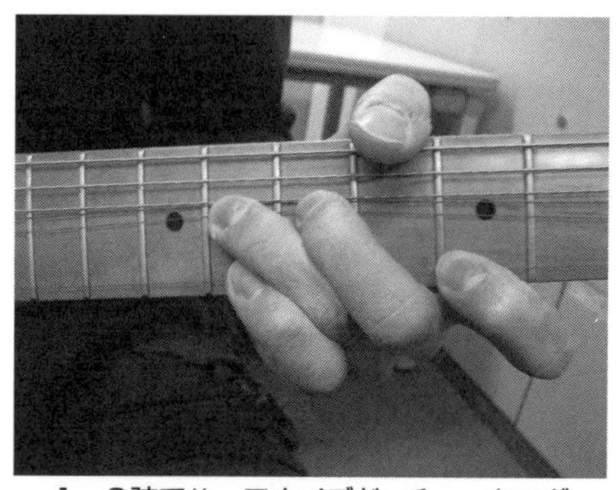

1・2弦でハーモナイズド・チョーキング

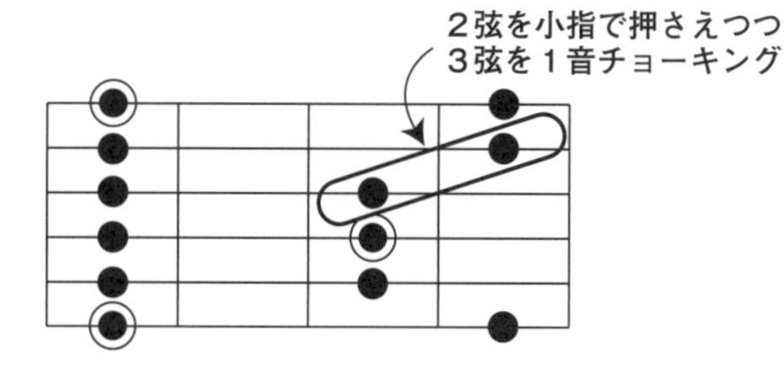

マイナーペンタトニックスケール
6弦ルート

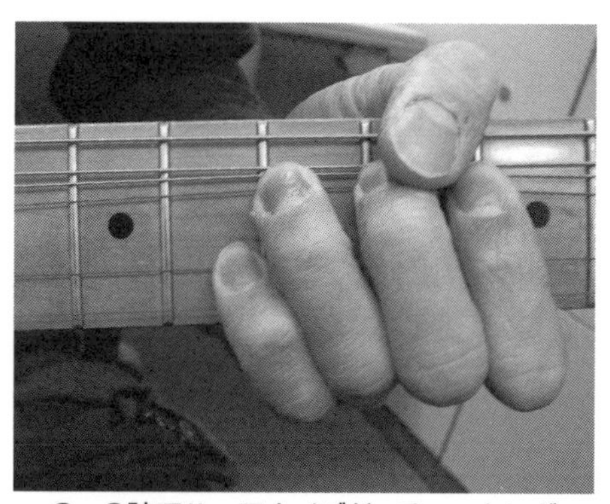

2・3弦でハーモナイズド・チョーキング

ハーモナイズド・チョーキングを使ったフレーズ例

譜例14

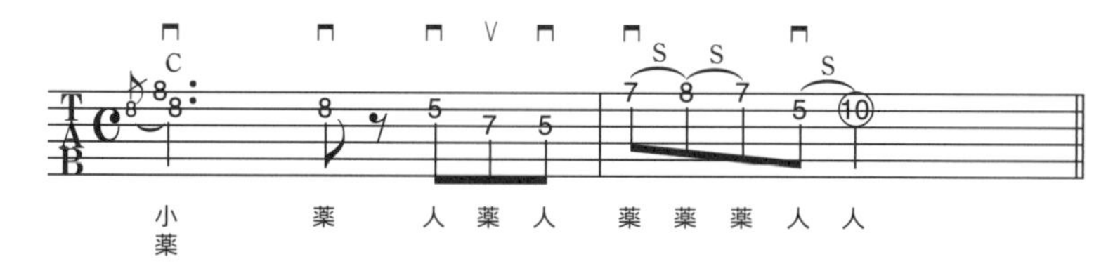

ユニゾン・チョーキング

1つの弦の音に対して、別の弦をチョーキングして、音を**ユニゾン**（同じ音）させるテクニックです。音のインパクトが大きいので、ここぞ！というときに使うと目立ちます。

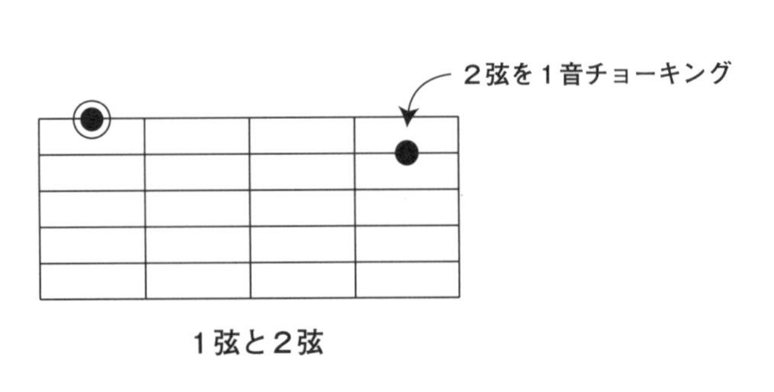

1弦と2弦

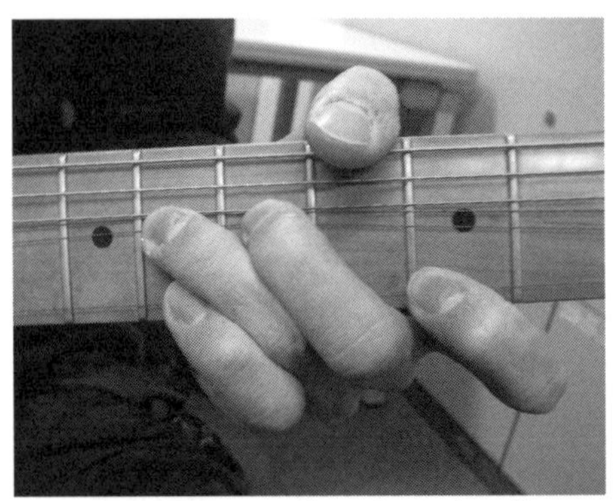

1・2弦でユニゾン・チョーキング

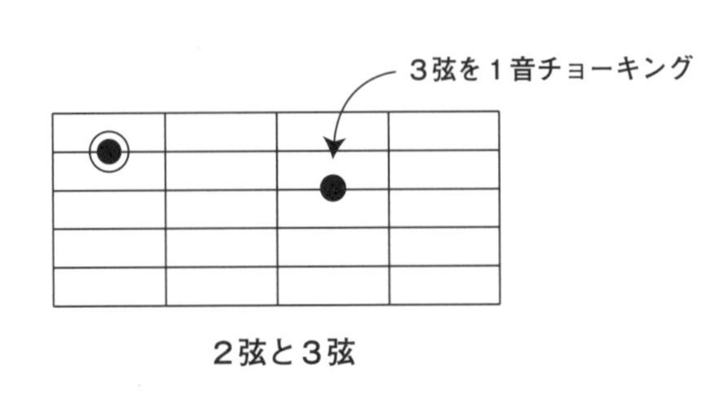

2弦と3弦

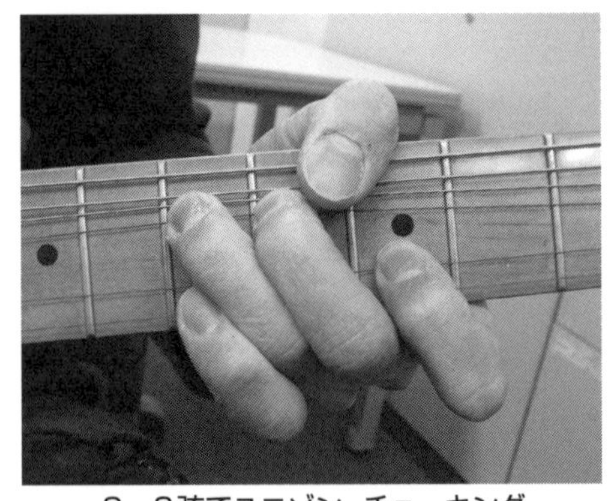

2・3弦でユニゾン・チョーキング

ユニゾン・チョーキングを使ったフレーズ例

譜例15

ダブル・チョーキング

隣あった2本の弦を同時にチョーキングする方法です。

1本の弦をチョーキングするよりも難しいので、チョーキングができるようになってから、練習しましょう。

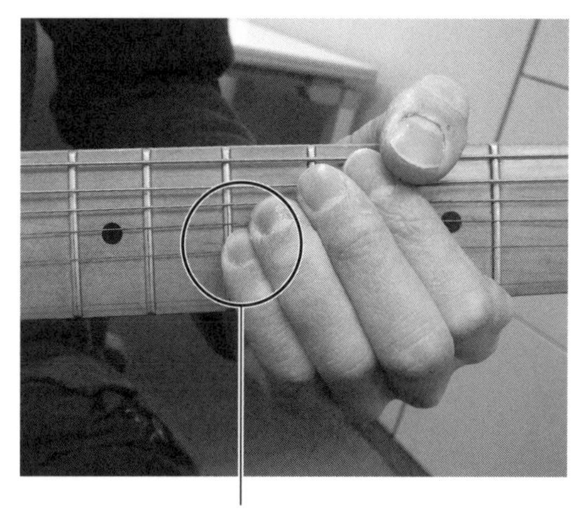

2弦・3弦を半音チョーキング

ダブル・チョーキングを使ったフレーズ例

譜例16

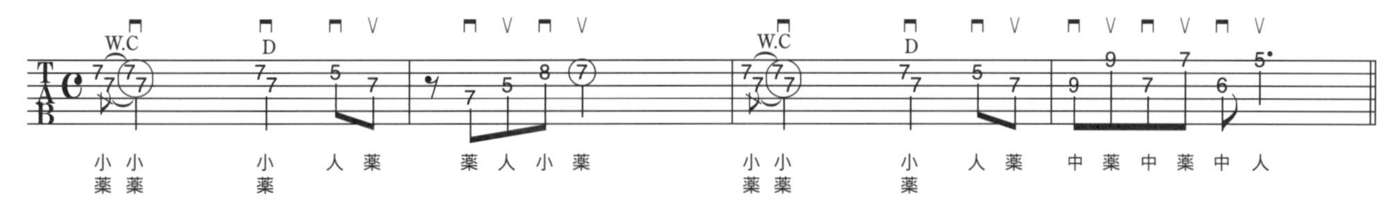

ビブラート

意味的には歌のビブラートと全く同じで、音を揺らすテクニックです。細かいチョーキング/チョーク・ダウンを繰り返すと考えて良いでしょう。コツは写真の手の位置を支点にして、チョーキングと同じように**手首の回転**を使って行います。

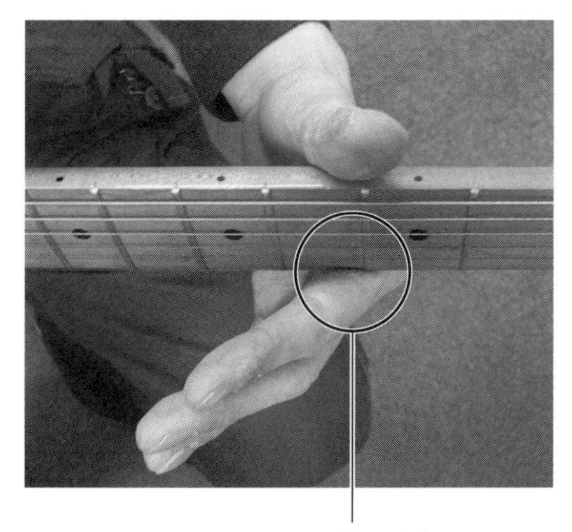

ココを支点にビブラートする

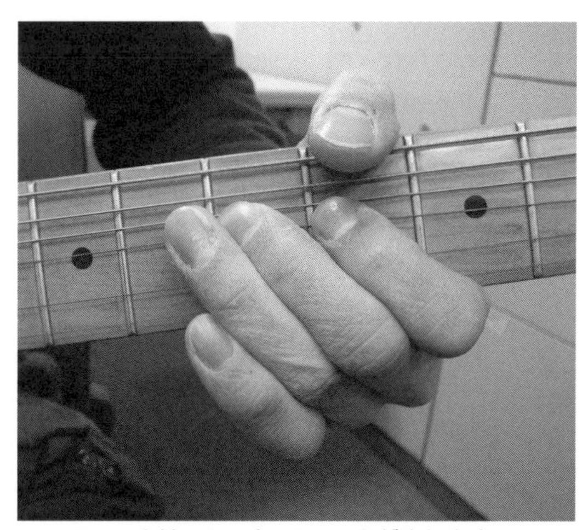

フォームは、ロック・フォームがやりやすい。

ビブラートのポイント

ビブラートをかけるときも、チョーキングと同様にピッチに注意しましょう。図のように、音程をキープしつつ揺らします。

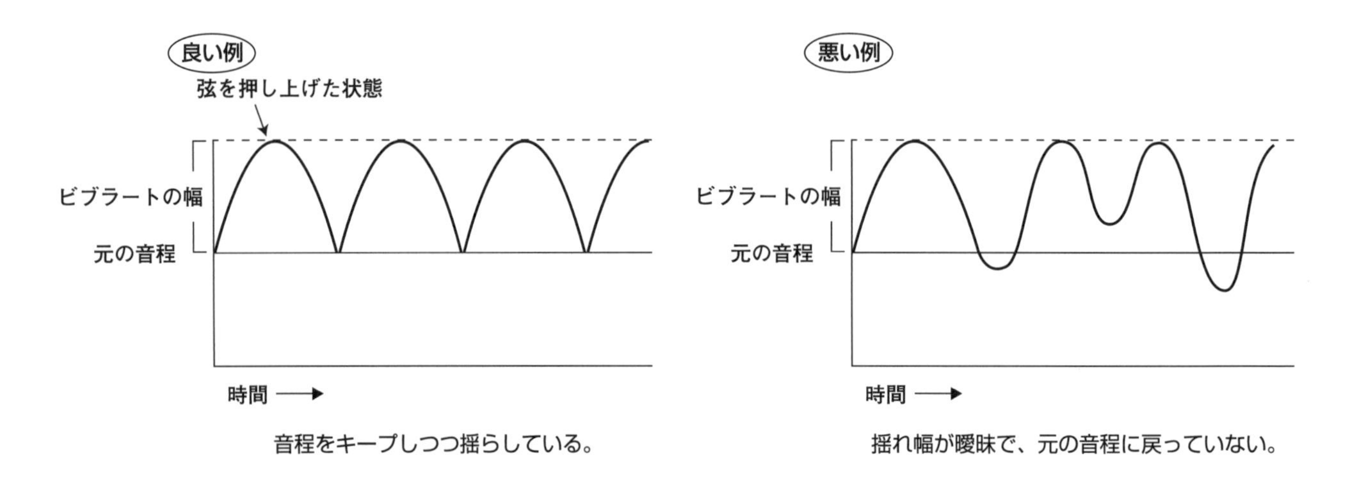

始めは早くかけようとせず、ゆっくりゆっくり音程を気にしながらビブラートの練習をしてみましょう。ビブラートの音程の揺れ幅や早さはギタリストによって違うので、色々研究してみると良いでしょう！

1音1音、ゆっくり練習できたら、実際に曲中にも使って弾いてみましょう。

譜例17　G線上のアリア／Johann Sebastian Bach

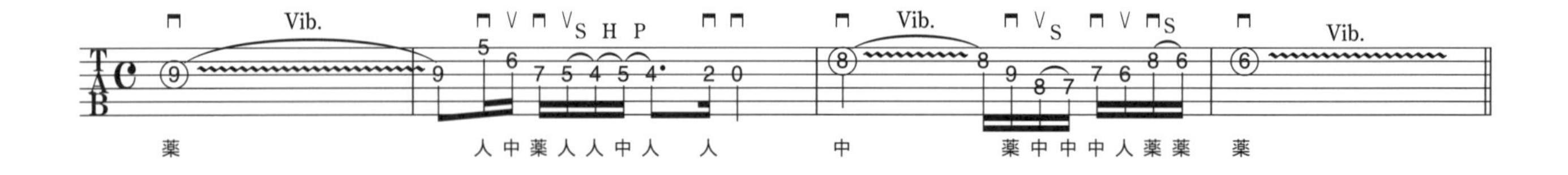

特殊奏法

ここでは、ハーモニクスやタッピングといった少し変わった奏法を紹介します。

ナチュラル・ハーモニクス

ハーモニクスは、弦の上のフレット上のポイントに少し触れている状態でピッキングをします。そして、**ピッキングと同時に、左手を離す**ことで音を出す奏法です。上手くできると「ポーン」というキレイな音が出ます。最初は、触れている状態でピッキングして、「ピチッ」というハーモニクス音が出ているかを確認してみましょう。上手く出た後に、左手をピッキングと同時にタイミング良く離すと音が延びて、キレイに「ポーン」と音が出ます。

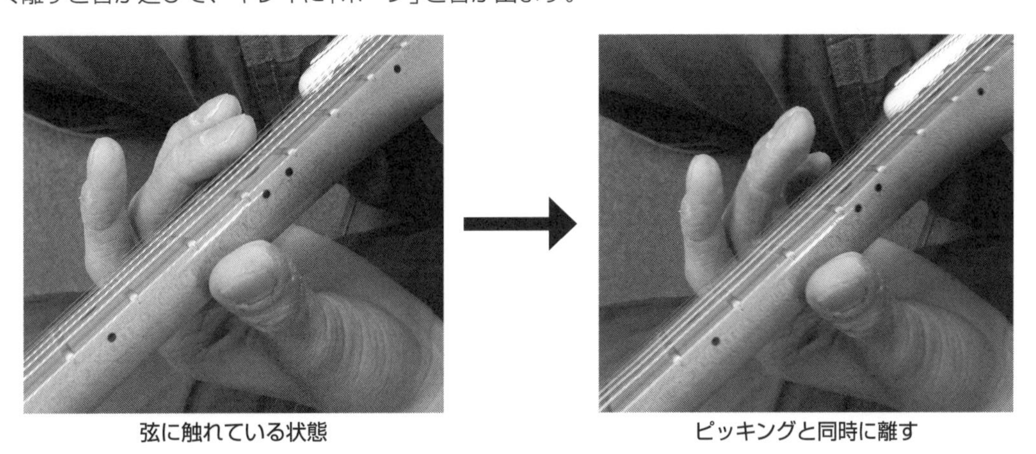

弦に触れている状態　　　ピッキングと同時に離す

特に、よく使われるのは、５フレット、７フレット、12フレットです。

ハーモニクスを出しやすいフレット　フレットの真上に左手を置く

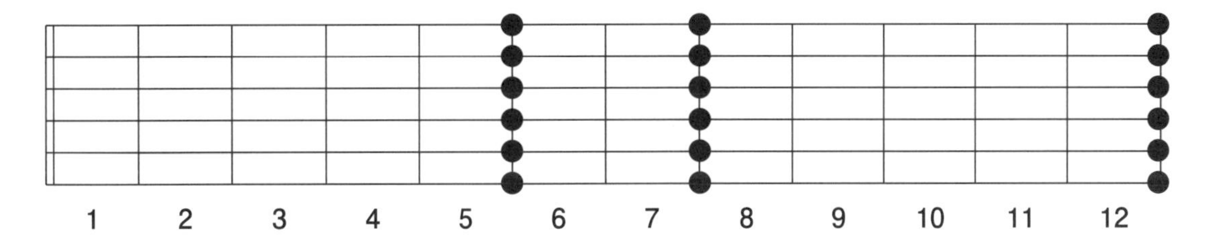

アームが付いているギターがあれば、音を歪ませた状態でハーモニクスを出し、同時にアーム・ダウン（アップ）するという組み合わせ技もあります。これは、３弦や６弦のハーモニクスで行うと、さらに効果的です。

ハーモニクスを使ったフレーズ例

譜例18

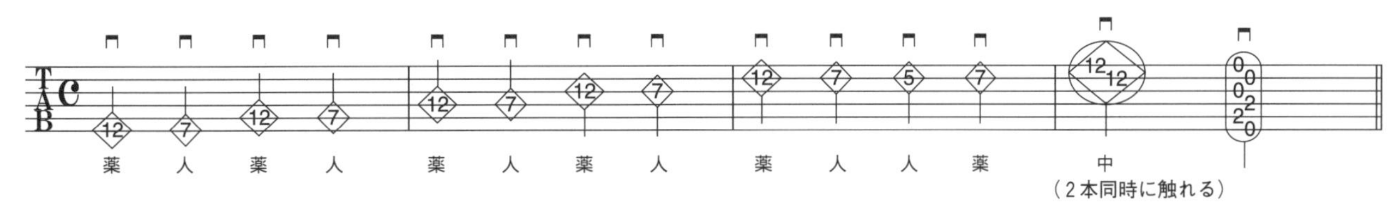

ピッキング・ハーモニクス

ナチュラル・ハーモニクスとは違った方法で、ハーモニクスを出すのがピッキング・ハーモニクスで、特にロック・ギターではよく使われる奏法です。この奏法は、ハーモニクスを出すコツを覚えるまでが大変ですが、出せるようになると、とてもカッコいい音が出ますので頑張って練習してみましょう。

ピッキング・ハーモニクスの出し方とコツ

①まずは、ギターの音を歪ませましょう。ピッキング・ハーモニクスは、とにかく歪ませたサウンドの方が出しやすいです。
②ギターのピックアップ・セレクターは、リアにします。フロントでも出せますが、リアの方が出しやすいです。
③通常よりもピックを深く持ち、親指を少し出ている状態にして、むしりとるようにピッキングします。

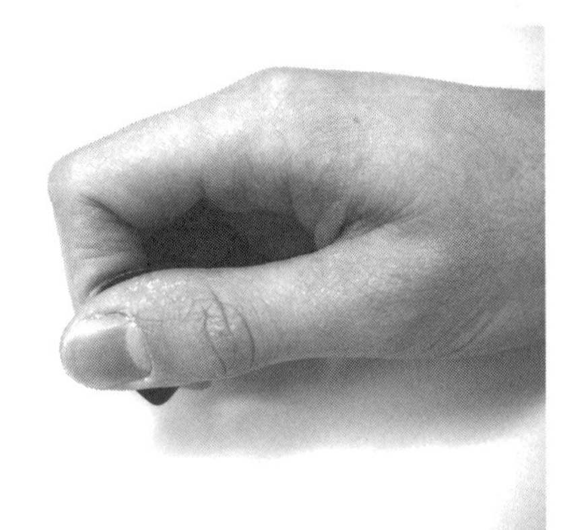

ピックを、いつもより深めに持つ

ピッキングと、ほぼ同時に親指を当てる

右手のピッキングをする**位置**によっても、ハーモニクスの出る音が変わります。リア・ピックアップとフロント・ピックアップの間ぐらいでピッキングするとハーモニクスが出やすいので、そこを基準に探してみましょう。

ピッキング・ハーモニクスを、ある程度、弾けるようになったら、ピッキング・ハーモニクスを出した後に左手でビブラートをかけてみましょう。もっとカッコ良くなります。

ピッキング・ハーモニクスを使ったフレーズ例

譜例19

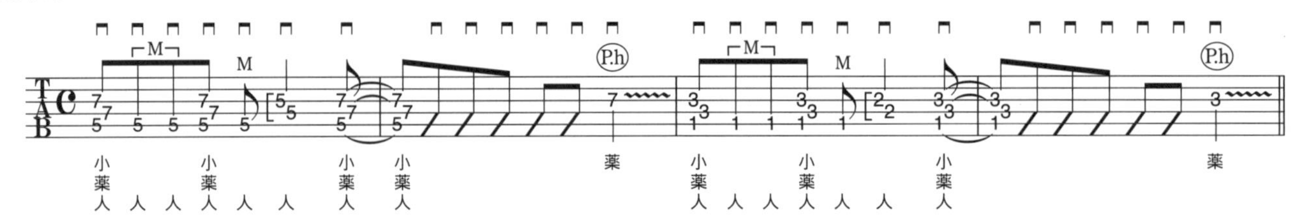

タッピング（ライトハンド奏法）

タッピングは、左手と右手を使って弦を叩いて（TAP）演奏する奏法です。つまり、右手でピッキングをしないのです。ハンマリングとプリングで音をつなげることも多いので、左手の力が重要になります。左手でしっかりハンマリングとプリングが出来るようになってから練習しましょう。

右手は中指？　人差指？

右手でTAPするときは、基本的に人差指や中指を使います。中指を使う場合は、ピックを持ったままTAPをしましょう。人差指でTAPしたい場合は、ピックを口で加えたり、写真のように薬指の中にしまいこんでTAPします。この動作を曲中で使えるようになるには、慣れるまでが大変かもしれません。

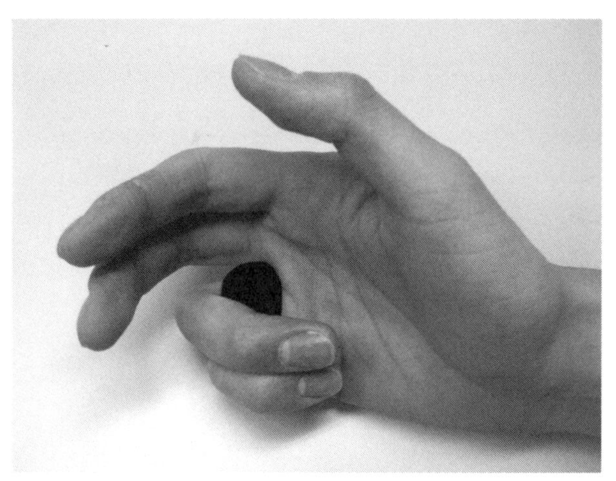

薬指にピックをしまう

タッピングを使ったフレーズ例

譜例20

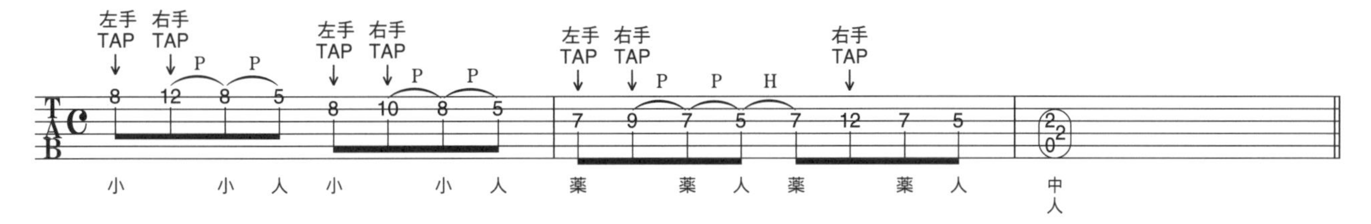

人差指を5フレットに置いた状態で左手小指でタッピング（ハンマリング）。

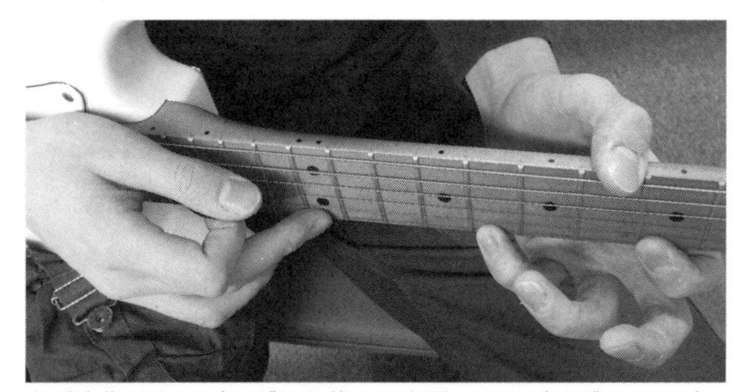

左手小指でタッピングした後に、右手でタッピング。タッピングした後、右手でプリングして8フレット（左手、小指）の音を出す。

最後に、左手小指をプリングして5フレット（左手、人差指）の音を出します。このフレーズは、この動きの繰り返しのフレーズになります。2弦、3弦と弦が移り変わってもパターンは一緒ですので、パターンを覚えてゆっくり練習しましょう。

譜例21

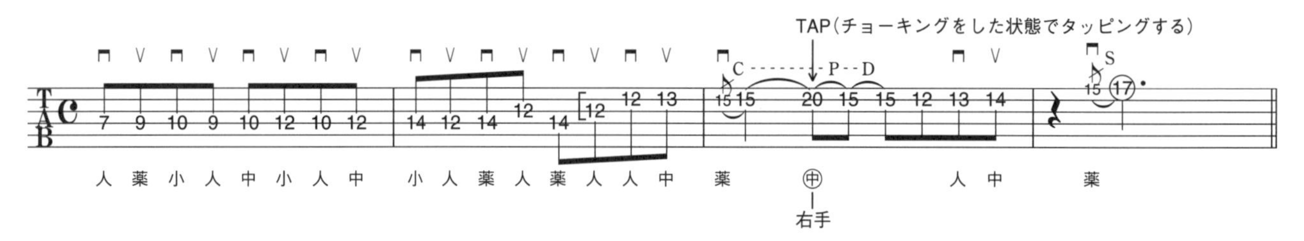

チョーキングしたまま、右手でタッピングしてから右手でプリング。

マイナー・ペンタトニック・スケールを使ったタッピング

最後にマイナー・ペンタトニック・スケールを使った覚えやすいタッピングを紹介します。左手は6弦ルートのAマイナー・ペンタの基本ポジションを押さえて、右手はそのオクターブ上のポジションをタッピングします。オクターブの音が混ざりトリッキーなフレーズを奏でることができます。

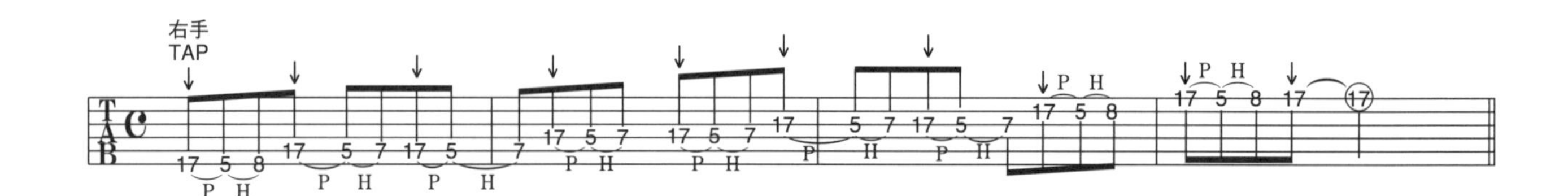

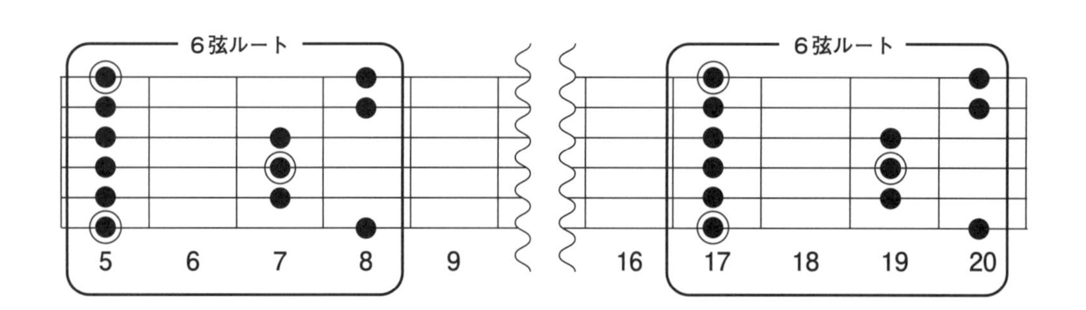

慣れてきたら、17フレットだけでなく他のフレットもタッピングしてみると、よりフレーズのバリエーションを増やすことができます。

コードを弾こう

　この章では、ギターのコードを紹介します。アルペジオ、カッティング等、色々な弾き方がありますので、しっかり弾けるようになりましょう。

　そして、様々なコードを弾けるようになれば、バンドやユニットを組んだり、弾き語りもできるようになりますね！

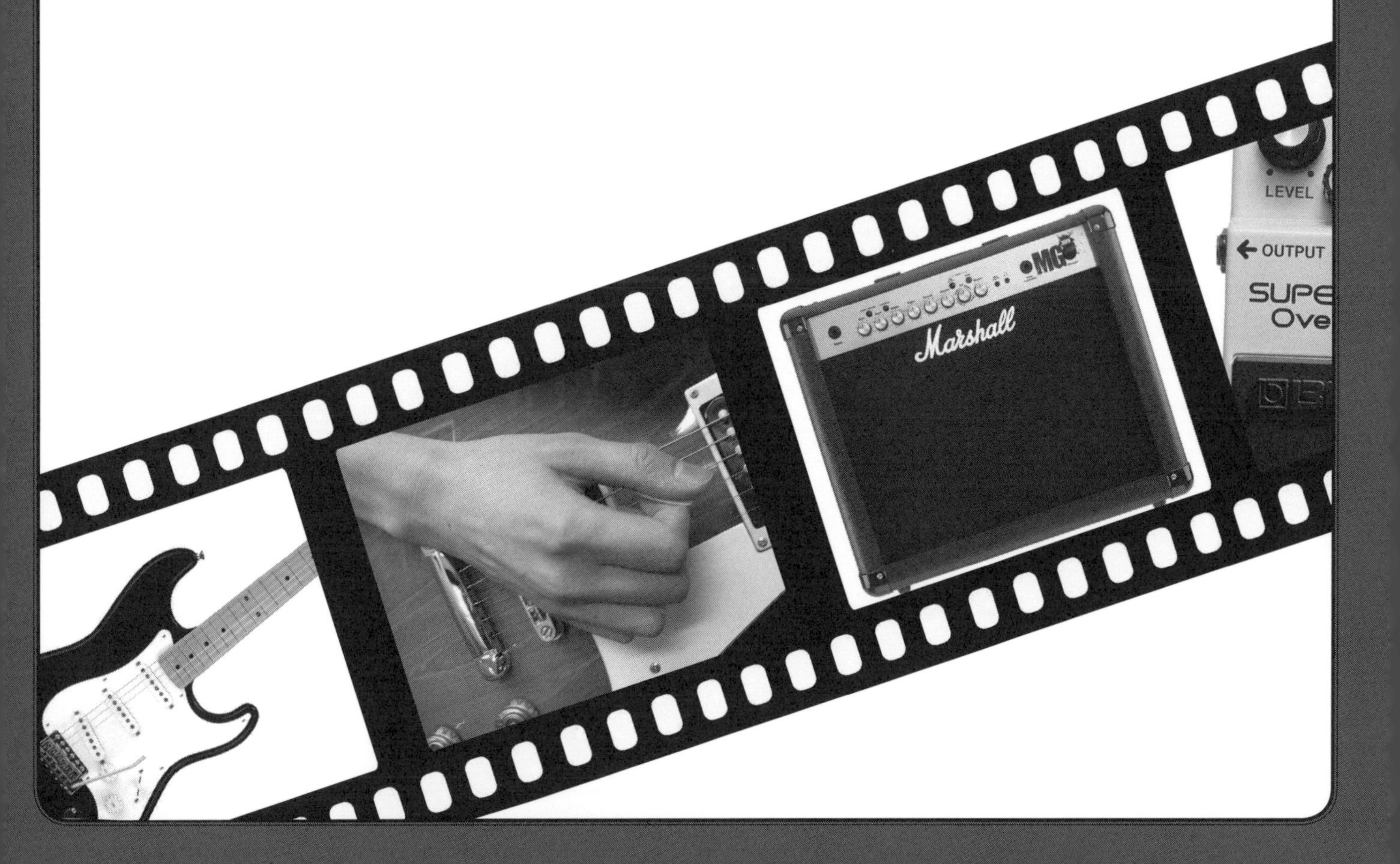

パワー・コードでロックしよう！

パワー・コードとは？

パワー・コードとは、普通のコードを省略したコードです。名前の通りパワーがみなぎった響きが得られ、アンプやエフェクターで歪ませて弾くことが多いコードです。では、押さえ方やポジションをチェックしてみましょう。

ルートからコードを見る！

まずは、基準のルート音を確認しましょう。第２章のスケールの項目でも述べましたが、ルートを変えることで様々なコードに変化します。つまり１つの形を覚えてしまえば、複数のコードを覚えることができます。これは、パワー・コードに限ったことではなく、これから出てくるバレー・コード等でも同じです。

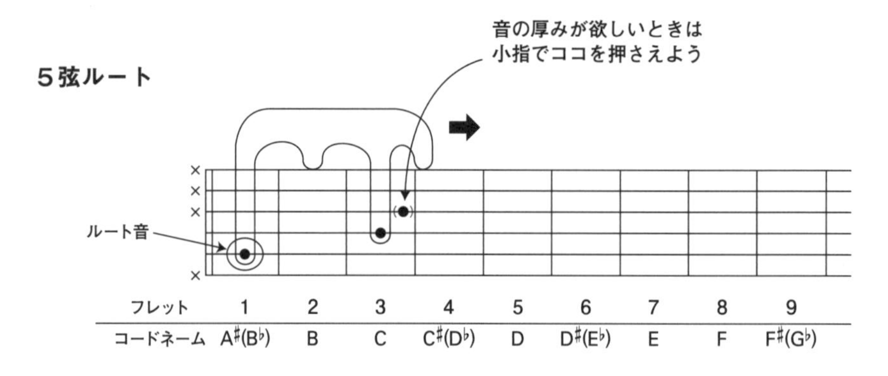

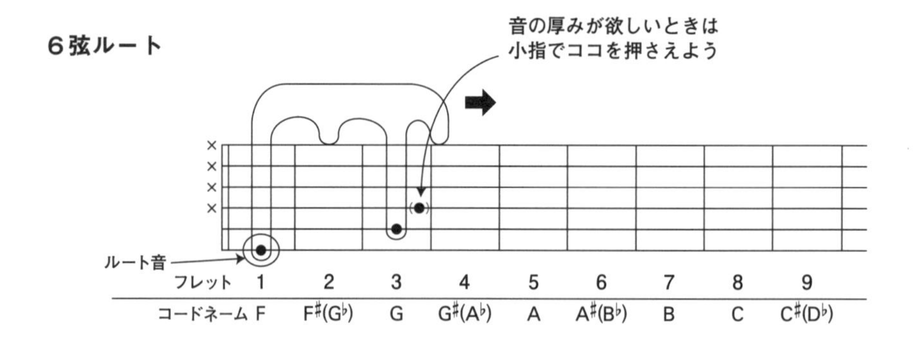

譜例1

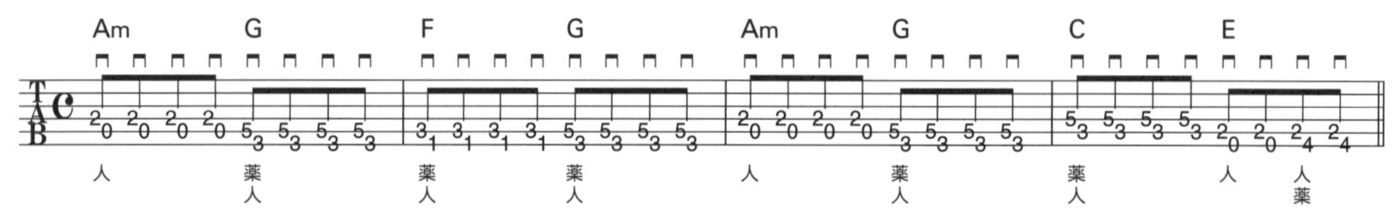

▼**コードを移動する場合は？**

コードを移動する場合は、左手はネックから離さず、**同じ形をたもったまま**移動しましょう。移動するときは、少し力を抜くと動かしやすいはずです。

ブリッジ・ミュート

ブリッジ・ミュートとは、弦のブリッジ付近に軽く右手を乗せ、ミュート（消音）した状態で弦を弾くテクニックです。ギターの音を歪ませて、ブリッジ・ミュートした状態で弾くと「ザクッ」と歯切れの良い音になり、パワー・コードを弾くときに、アクセントになるので、よく使われるテクニックです。

ブリッジ・ミュートは、右手を置く場所が重要になります。右手を置く場所が、**ほんの少しズレていても**ギターから出る音のピッチが変わりますので、注意しながら練習しましょう。

ブリッジに右手を置いてピッキング

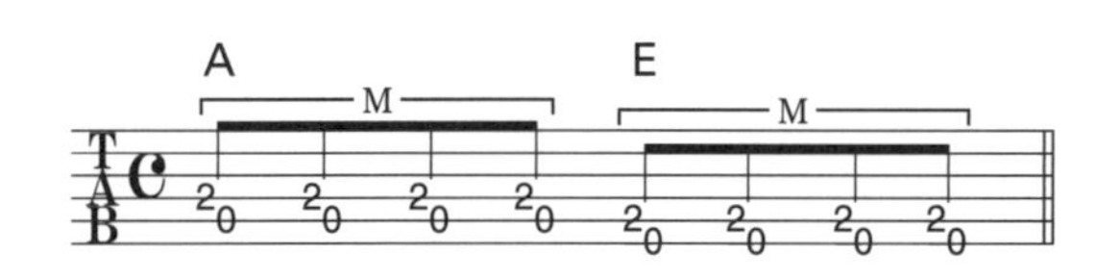

ブリッジ・ミュートの表記

それでは、実際に譜例を練習してみましょう。最初の譜例ではブリッジ・ミュートをしたまま弾き、次の譜例ではブリッジ・ミュートした音と、していない音を区別して弾きましょう。

譜例2

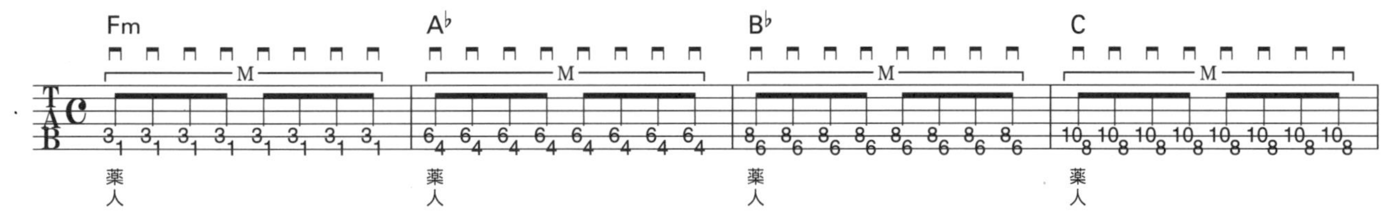

譜例3

2 ロー・コードで開放弦の美しい響きを感じよう

ロー・コードとは？

ロー・コードとは、開放弦を含み、主に１フレットから３レットで３～６本の弦を弾くコードです。音数が多くなるので、歪ませた音より、**クリーン・トーンとの相性**が良いコードです。アコギとも相性が良く、ヴォーカリストと二人で音楽を奏でるとき等も、よく使用されます。

ストローク

ロー・コードまでいくと、ピッキングでは一度に複数の弦を弾くことができないので、ストロークを覚えましょう。ストロークとは、主に３～６本の弦を鳴らすことストロークと言います。ストロークもピッキング同様に、アップとダウンがありますが、ピッキングと違い手首だけではなく、**肘から下**も動かします。

ダウンストローク

ストロークする瞬間

→

ストローク後

アップストローク

ストロークする瞬間

→

ストローク後

コード・チェンジをするときは？

まずは、コードを体に叩き込む＆覚えることが重要です。そしてパワー・コードと同じように、左手をネックから離さないようにしましょう。そして、前後のコードを確認します。コード進行によっては、全てを押さえ直さなくてはなりませんが、４本の指を押さえ直す必要がないコード進行もあるのです。実際に譜例と写真で確認してみましょう。

譜例4

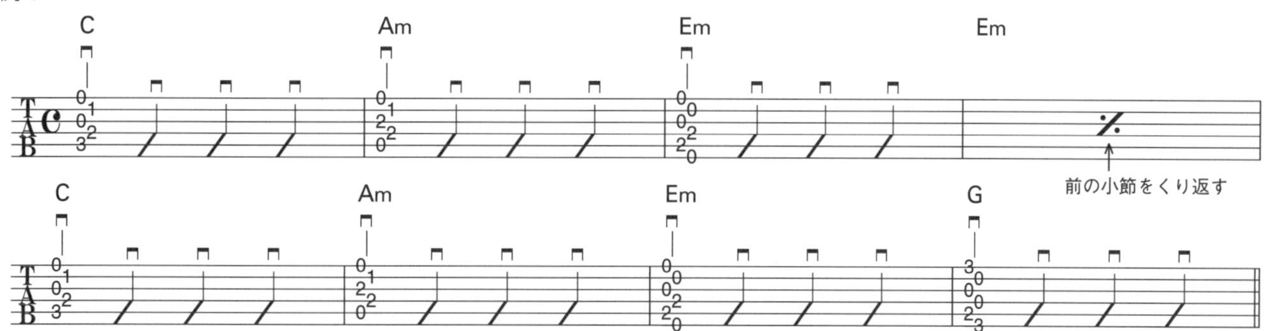

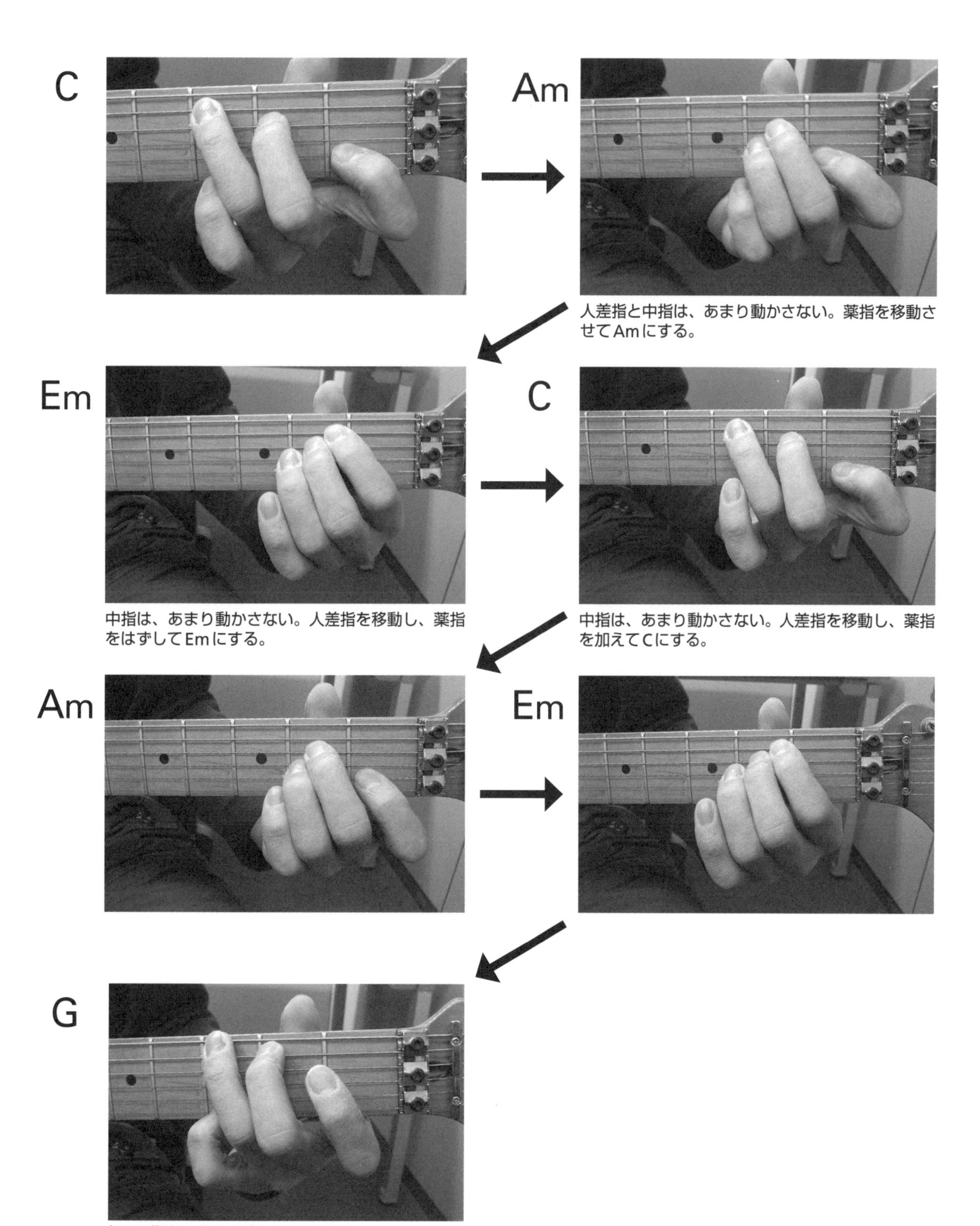

人差指と中指は、あまり動かさない。薬指を移動させてAmにする。

中指は、あまり動かさない。人差指を移動し、薬指をはずしてEmにする。

中指は、あまり動かさない。人差指を移動し、薬指を加えてCにする。

全ての指を、押さえ直してGにする。

さらに、次の譜例も練習してみましょう。

譜例5

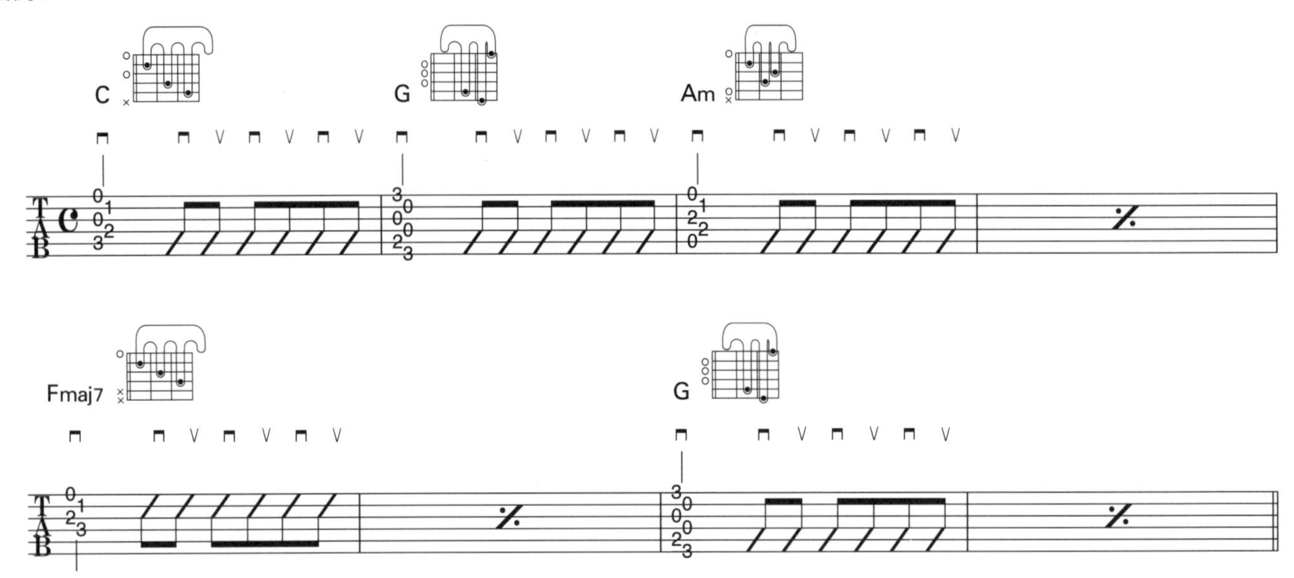

3 バレー・コードで色々なコードを押さえよう！

バレー・コードとは？

バレー・コードとは、人差指１本で複数の弦を押さえるコードフォームのことを言います。そして、一度に複数の弦を押さえることを**セーハ**と呼びます。

バレー・コードが押さえられるようになれば、６弦・５弦ルートのフォームがあるので、パワー・コードのように１つのフォームで複数のコードを覚えられます。

バレー・コードの押さえ方

Fを例に、写真で確認してみましょう。

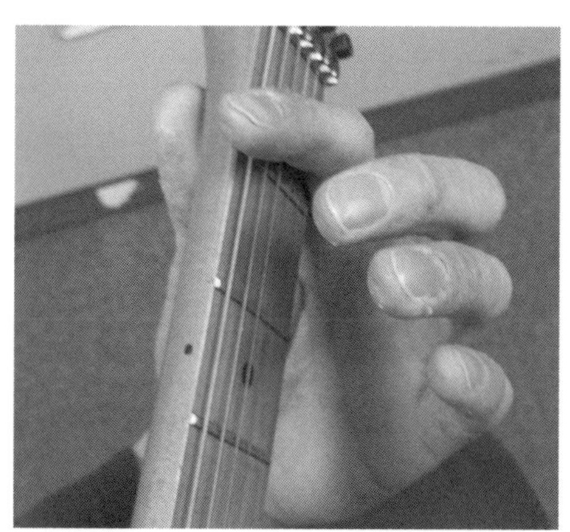

①人差指で１フレットをセーハする。

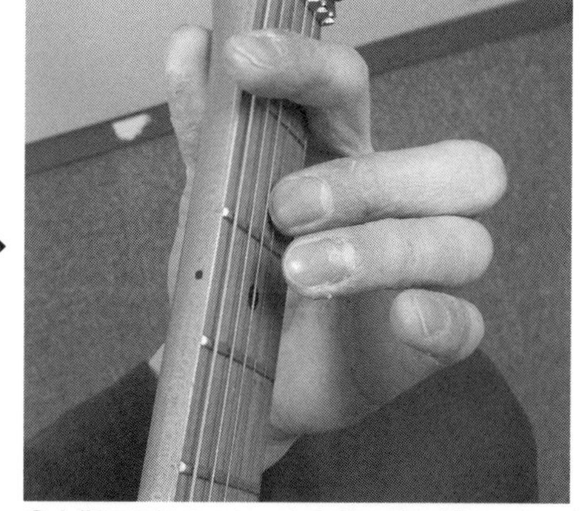

②中指で３弦２フレットを他の弦に触れにないようにしっかりと立てながら押さえる。

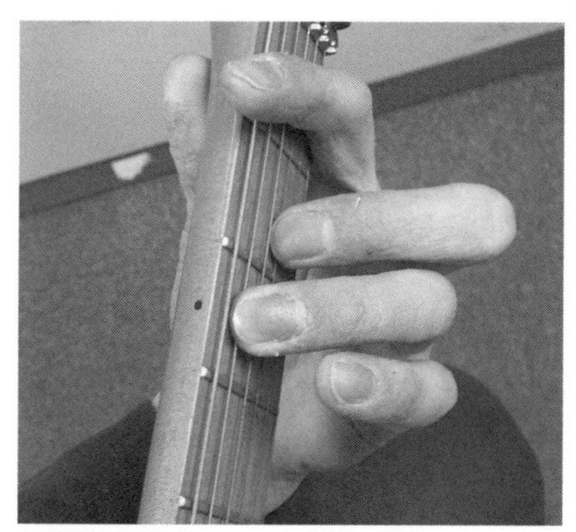

③薬指で５弦３フレットを押さえる。

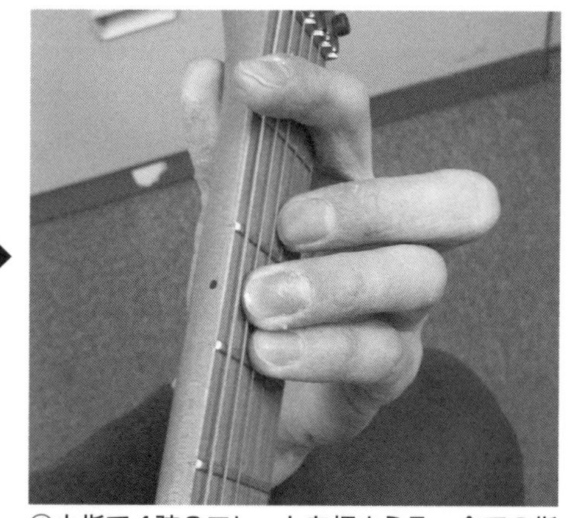

④小指で４弦３フレットを押さえる。全ての指がフレットに平行に近い形が理想。

全てのコードフォームやフレーズに言えることですが、フレットを押さえるときは必ず**ブリッジ寄り**を押さえましょう。

コードの覚え方

バレー・コードを押さえられるようになったら、そこから様々なコードを考えてみましょう。コード・フォームを1つずつ覚えていく方法も良いですが、以下のような方法で覚えることもできます。

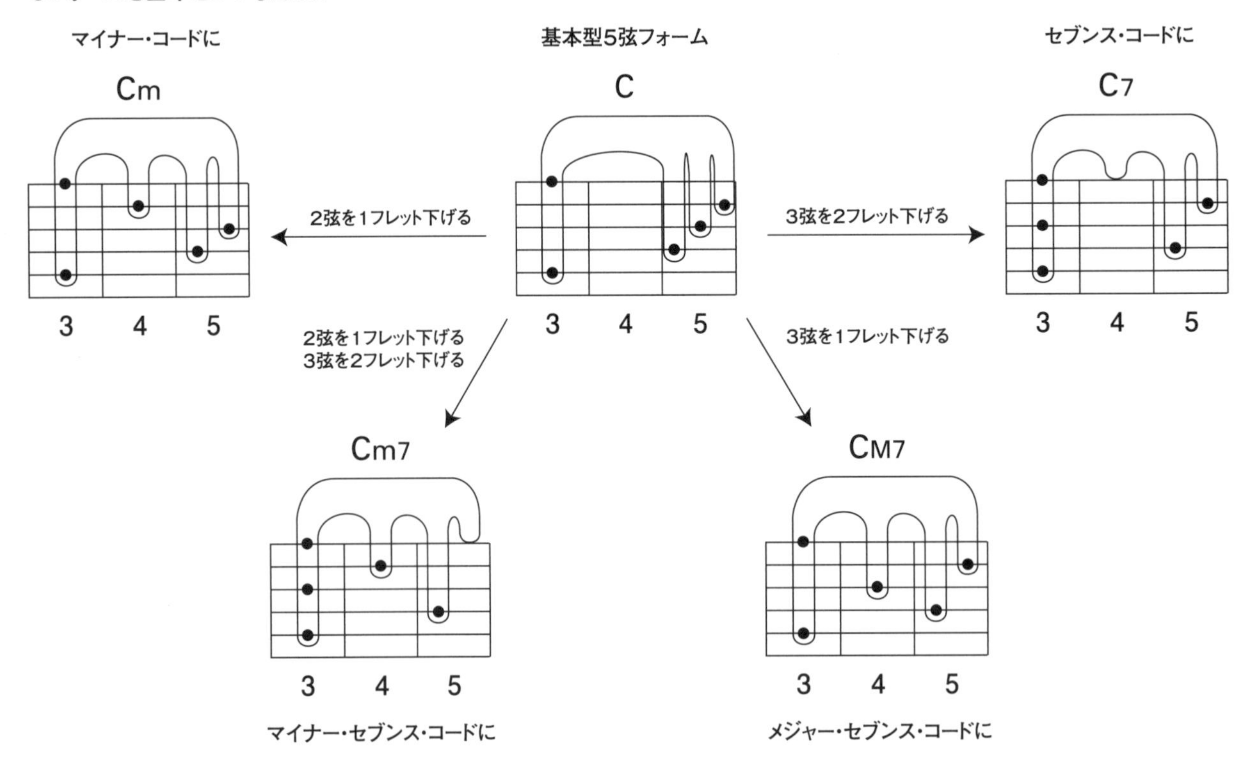

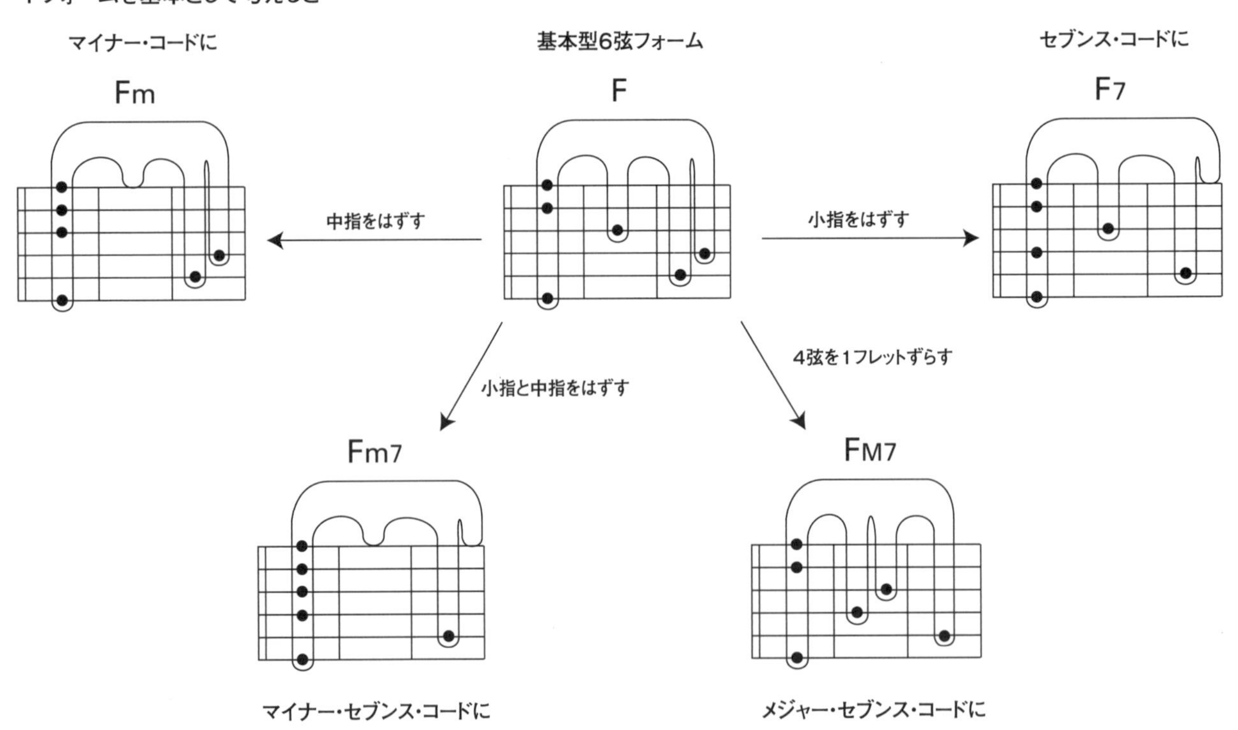

このようにバレー・コードは、基本形から考えることで色々なコードになります。さらに上記のコードは、いずれも5・6弦ルートのコードになるので、ズラしていけば別のルートのコードもできます。それでは、次のページで実際の譜例を練習してみましょう。

譜例6

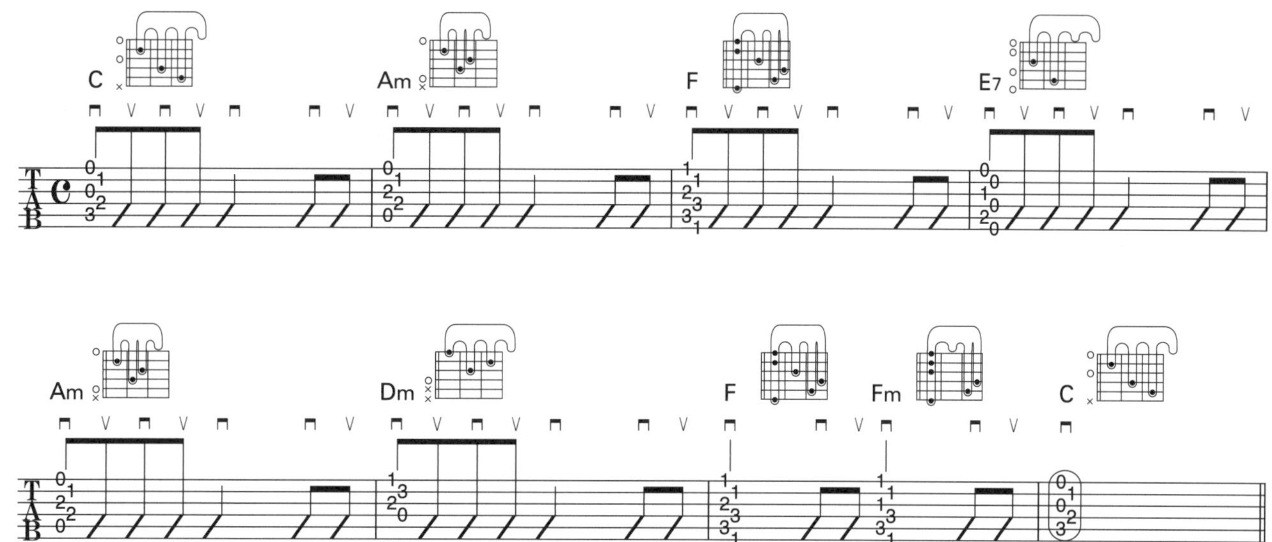

譜例7

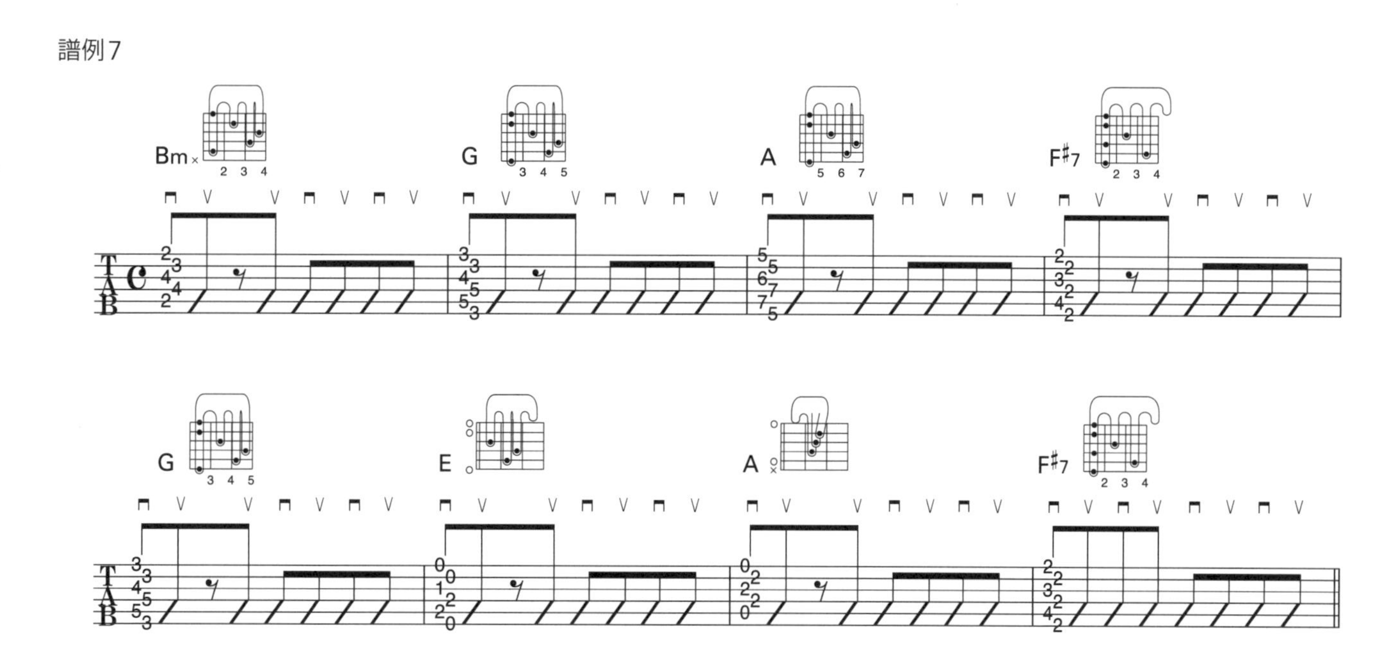

オクターブ奏法

オクターブとは？

オクターブとは、例えばCを基準に考えた場合、上のCか、または下のCまでの**音の幅**を意味します。これはDやE等、他の音も同様で、DからD（上下）、EからE（上下）までをオクターブと言います。

つまりオクターブ奏法とは、「**オクターブを押さえて弾く**」ということです。オクターブ奏法は、ロックやジャズ等の様々なジャンルで弾かれる奏法なので、覚えておきましょう。

オクターブ奏法

オクターブ奏法をするときは、弾かない弦をしっかりミュートしましょう。押さえている人差指や、使わない中指でミュートすると良いでしょう。そして、ピッキングではなくストロークで弾きます。

使わない中指でミュート

・よく使うポジション

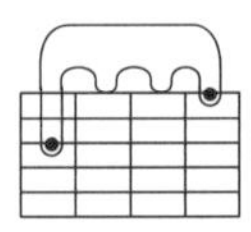

1弦と3弦

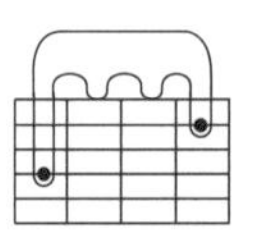

2弦と4弦

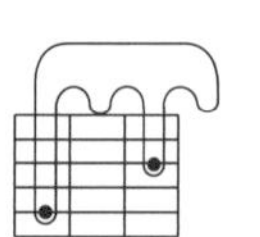

3弦と5弦

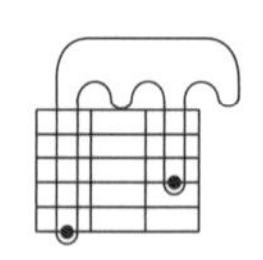

4弦と6弦

オクターブ奏法を使ったフレーズ

譜例8

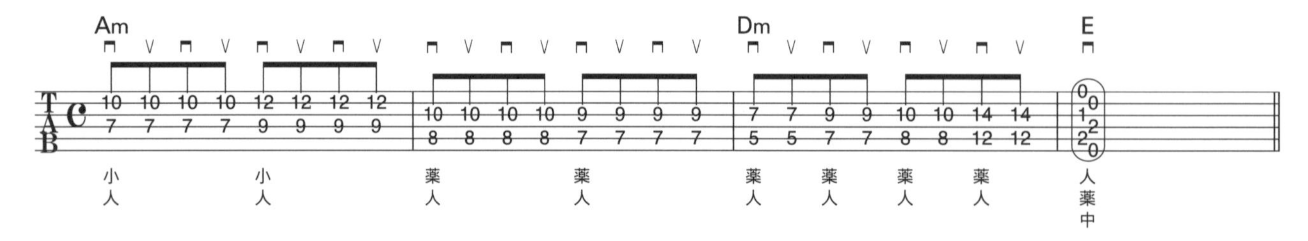

5 リズムを把握しよう

音楽には、様々なリズムがあります。ここでは、代表的なリズムを紹介しましょう。

8ビート

ロックやポップス等、幅広いジャンルで演奏されるのが8ビートです。そしてロックの基本は、8ビートと言っても良いぐらいです。

8ビートの8は、8分音符を表しています。つまり、8分音符を基本としたリズムということです。実際の音楽では、8分音符を基本とし16分音符等が混ざっていることもあります。以下の譜例が、8ビートの代表的なリズムパターンになります。好きなコードを押さえて弾いてみましょう

8ビートのリズム・パターン例

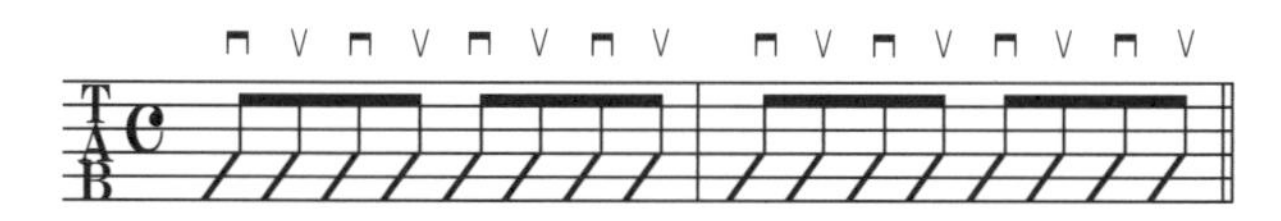

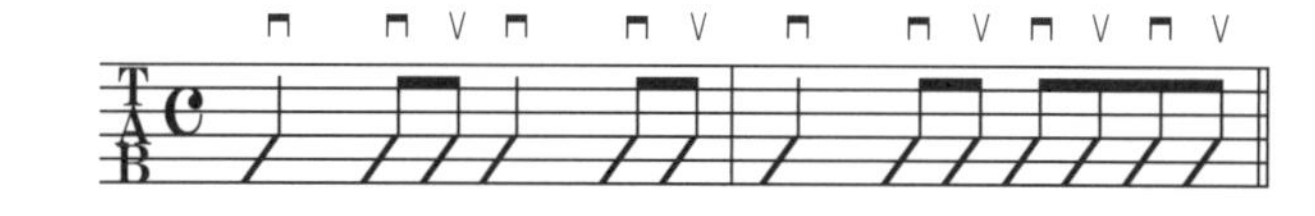

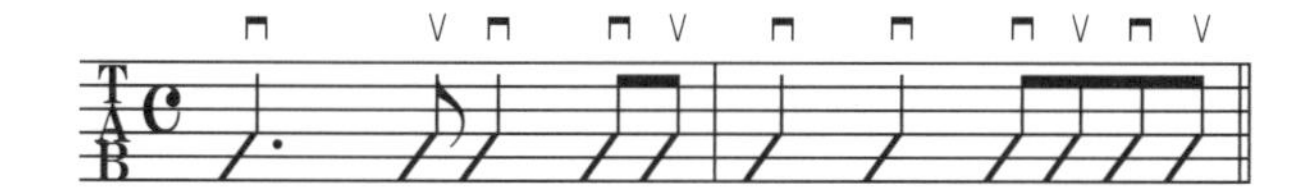

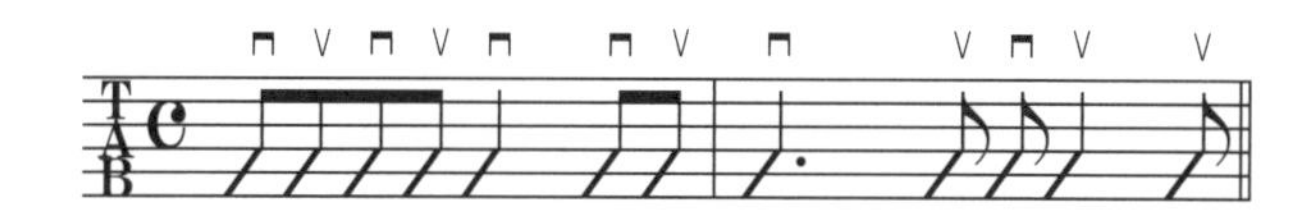

シンコペーション

楽曲のノリに疾走感やスピード感を与えるのが、このシンコペーションです。シンコペーションとは、**同じ音と音**をタイで結んでいる音のことを言います。ビートよりも先取りして弾くことで、リズムが強調されます。バンドマン用語では「**食う**」とも呼ばれていますね。

空ピック

シンコペーションや休符が多い譜例だと、リズムがとりにくくなります。そんなときに役立つのが、空ピックです。

空ピックは、休符やシンコペーションがある箇所もストロークします。ただし、**弦に当てずに空振り**します。つまり、ずっとストロークしている状態です。このようにストロークしていると、休符等で休んだ後やシンコペーションした後の音符を弾くタイミングが分かりやすくなります。

それでは、下記の8ビートのリズム・パターンを、好きなコードで空ピックを使って練習してみましょう。

空ピックを使って弾いてみよう

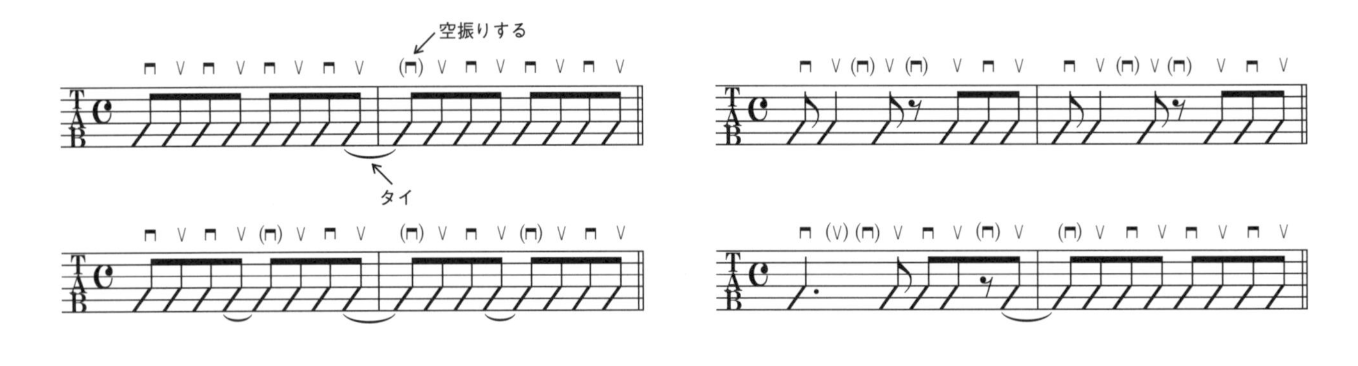

16ビート

16ビートは、その名の通り16分音符を基本としたリズムになります。音符が細かくなった分、難易度も上がりますので、テンポを落として、ゆっくりゆっくり練習しましょう。

16ビートのリズムパターン例

シャッフル

3連符

シャッフルというリズムを理解するには、まず、3連符という音符を弾けるようになりましょう。この3連符は基準の音符を、3つに分けた音符です。

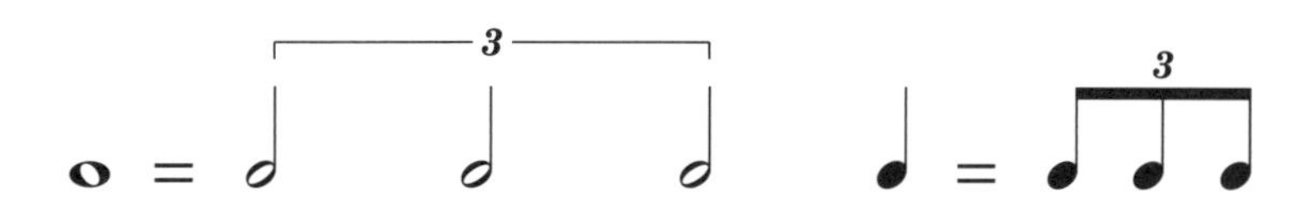

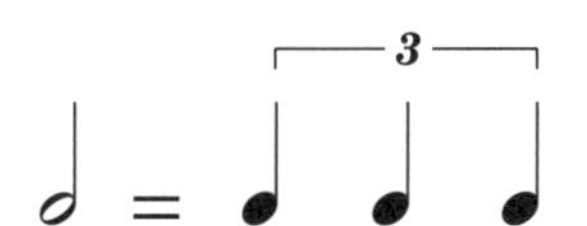

真ん中を抜く！？

シャッフルのリズムは、3連符を2：1にしたリズムです。まず、以下の曲を聴いてみると良いでしょう。8ビート・16ビートとの違いが分かります。曲のテンポによって印象が変わりますが、スキップしているような雰囲気のリズムです。

・シャッフルのリズムが使用されている曲の一例　※「曲名／アーティスト名」

リルラリルハ／木村カエラ
迷子犬と雨のビート／ ASIAN KUNG-FU GENERATION
ホンキー・トンキー・クレイジー／ BOØWY
Revelation ／ L'Arc ～ en ～ Ciel
Black Night ／ Deep Purple
Hot For Teacher ／ Van Halen
Longview ／ Green Day

実際にリズムパターンを弾いてみよう

それでは、実際に譜例で確認してみましょう。「もっし、もっし、かっめ、よー、かっめ、さんよー」もシャッフルのリズムです。一度確認してから弾いてみると良いでしょう。

カッティングでビートを刻もう

さらにストロークをカッコ良く演奏できるカッティングを覚えましょう。カッティングは、どんなジャンルにも使うことができるテクニックですし、ギターのテクニックの中でも、重要な奏法です。

左手ミュート

カッティングをするためには、まず、左手のミュートを覚えましょう。

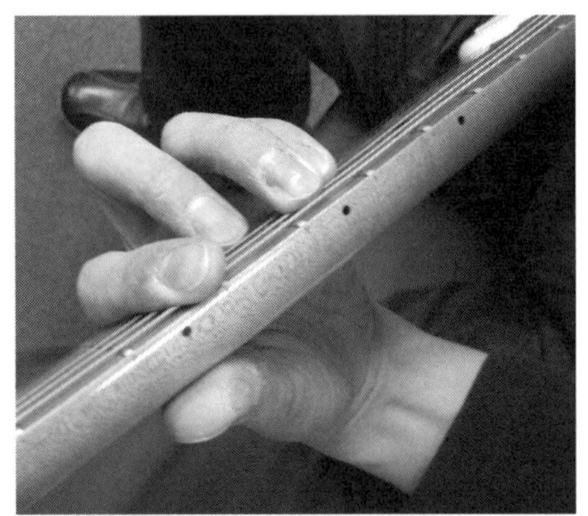
ミュートしていない状態

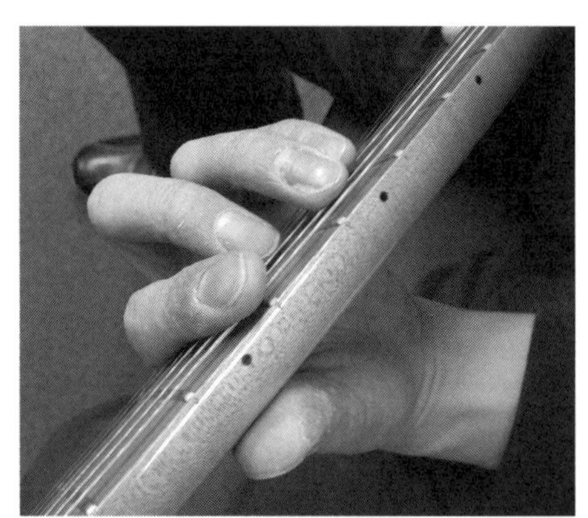
ミュートした状態

写真のように、フレットを押さえている状態から、少し離しつつも弦に触れている状態にします。この状態が左手ミュートになります。この左手ミュートをした状態で、ストロークをすると「ジャッ」という音が出ます。これを**ブラッシング**と言い、譜面上では**X**と表記されています。

右手は、いつもどおりにストロークをし、左手を押さえたり、離したり（ミュート）することで、カッティングができます。

カッティングを使ったストローク例

譜例9　8ビートのパターン

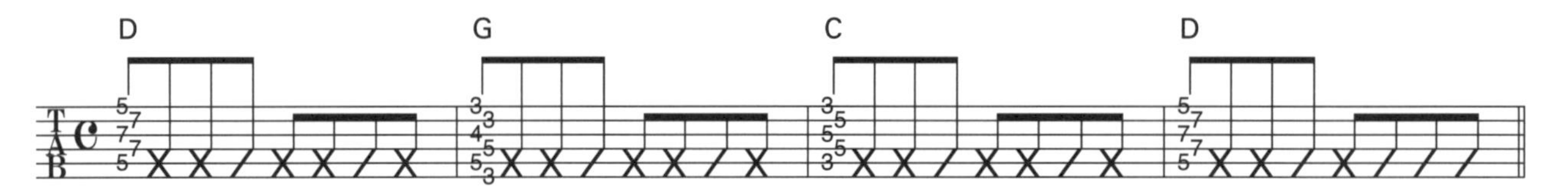

譜例10　16ビートのパターン

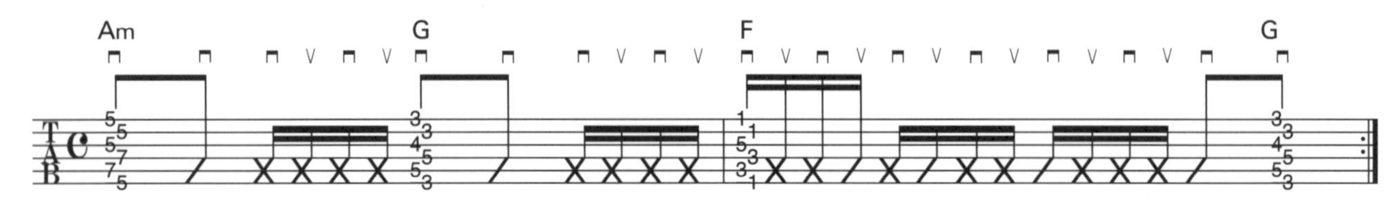

省略コードでカッティング

カッティングは、バレー・コードだけでプレイするものではなく、音数を減らした省略形のコードでも多用されます。ここでは、さらに3本の弦でカッティングしてみましょう。左手は、**余った指で弾かない弦をミュート**します。親指も積極的に使いましょう。その他、1本〜2本の弦でカッティングすることもあります。慣れてきたら、少しずつ弦を減らして練習するのも良いでしょう。

親指で5、6弦をミュート

省略コードを使ったカッティング・パターン例

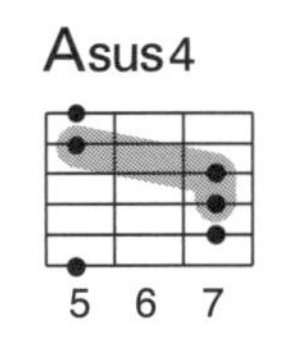

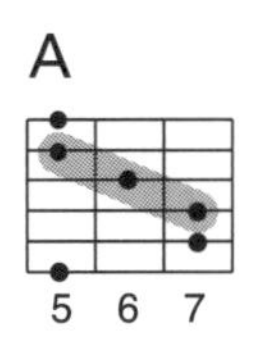

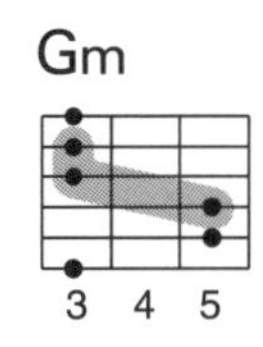

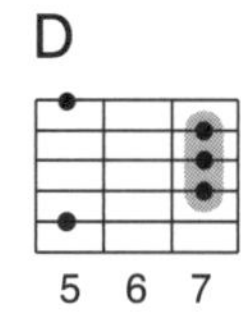

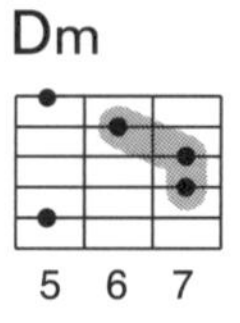

譜例11　8ビートのパターン

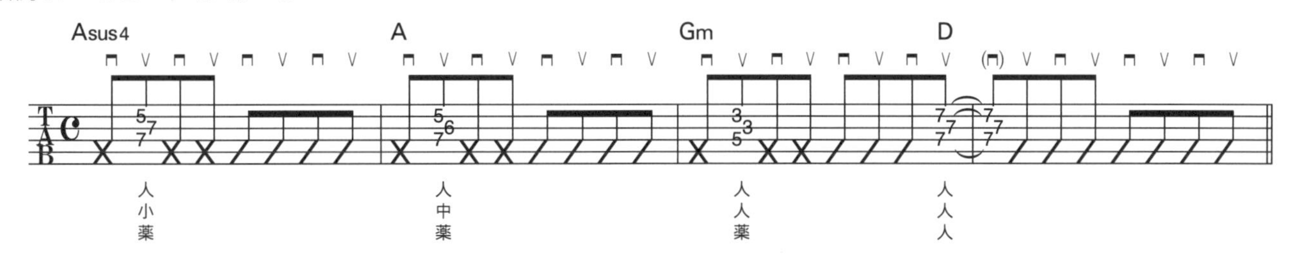

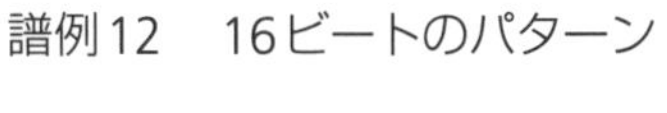
譜例12　16ビートのパターン

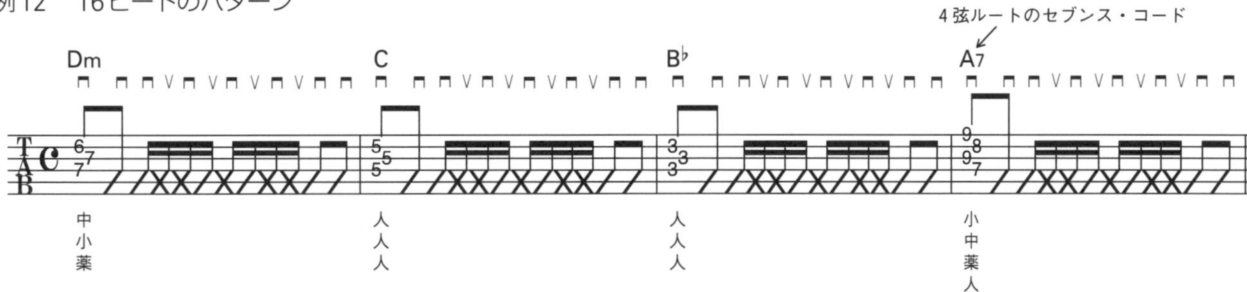

▼カッティングで有名なギタリスト

早く上達するためには、プロのギタリストの演奏を聴くのも勉強になります。実際の演奏をテレビやインターネット等で目で見て、耳で確認して練習してみましょう。以下に、カッティングで有名なギタリストを紹介します。

アベフトシ　アル・マッケイ　布袋寅泰　ナイル・ロジャース　山下達郎　スティーヴィー・レイ・ヴォーン

SECTION 7 アルペジオでコードをしっとり奏でよう

アルペジオとは？

色々なコードを押さえられるようになったら、アルペジオにも挑戦してみましょう。アルペジオは、**左手でコードを押さえつつ右手で弦を１本ずつピッキング**していく奏法です。エレキ・ギターでは、主にクリーントーンで弾かれることが多く、特にバラード等のしっとりした曲に合うでしょう。

ピッキング・パターンは、特に決まりはなく、空ピックを入れた場合は譜例と変わります。基本的には、オルタネイト・ピッキングで弾き、弾きにくい所は、ピッキング・パターンを変更しましょう。

アルペジオを使ったフレーズ例

譜例13

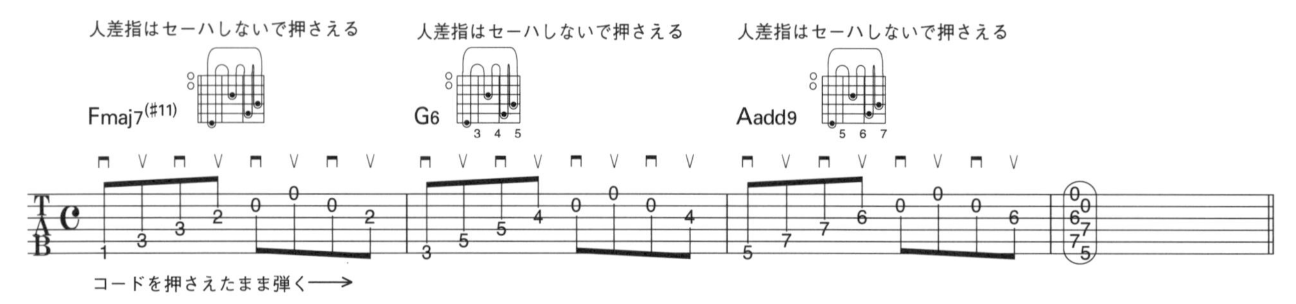

民族的な雰囲気のフレーズです。左手の形を維持したまま、横へずらしましょう。押さえ方が同じなので、じっくりピッキングを練習できます。

譜例14

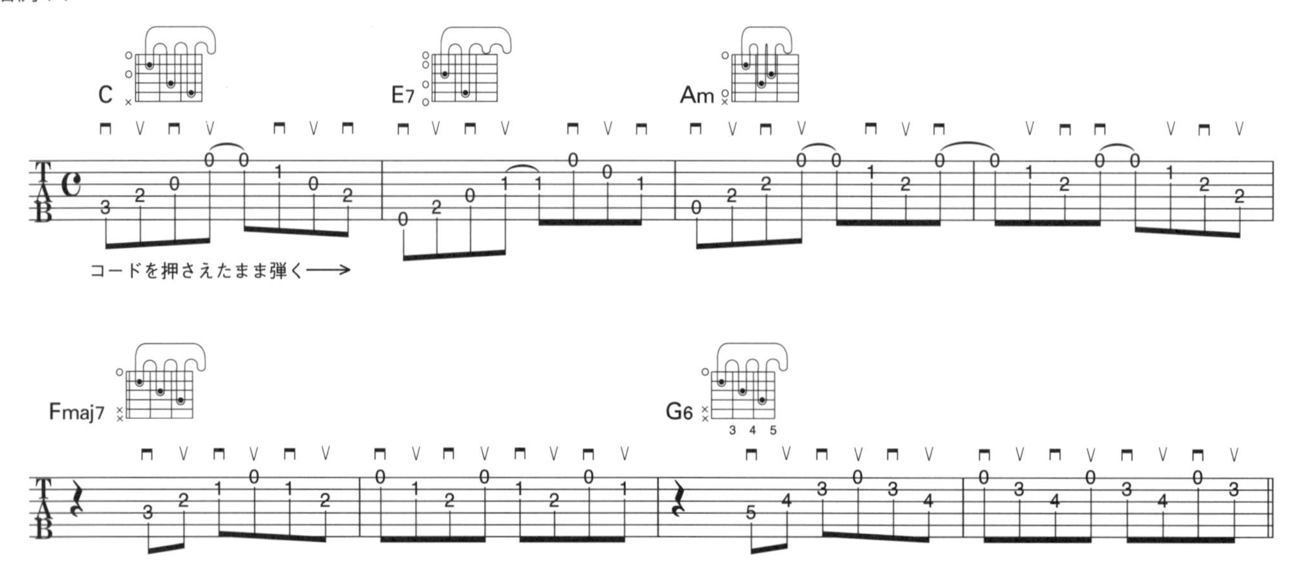

ロー・コードのアルペジオを弾いてみましょう。バラードやスロー・テンポの曲に、よく使われます。

第5章 ギターをもっと知ろう

この章では、さらにギターの知識を高めましょう。アンプの種類やエフェクターといった機材のことから、ギター各部の細かい所等、特にギターの音に関する事を紹介します。

楽器は弾くためのテクニックも重要ですが、どんな音を奏でるかも重要です。自分の好きな音やイイ音を出せるようになると、弾いていても気持ちが良いですし、練習意欲も湧いてくるはずです。

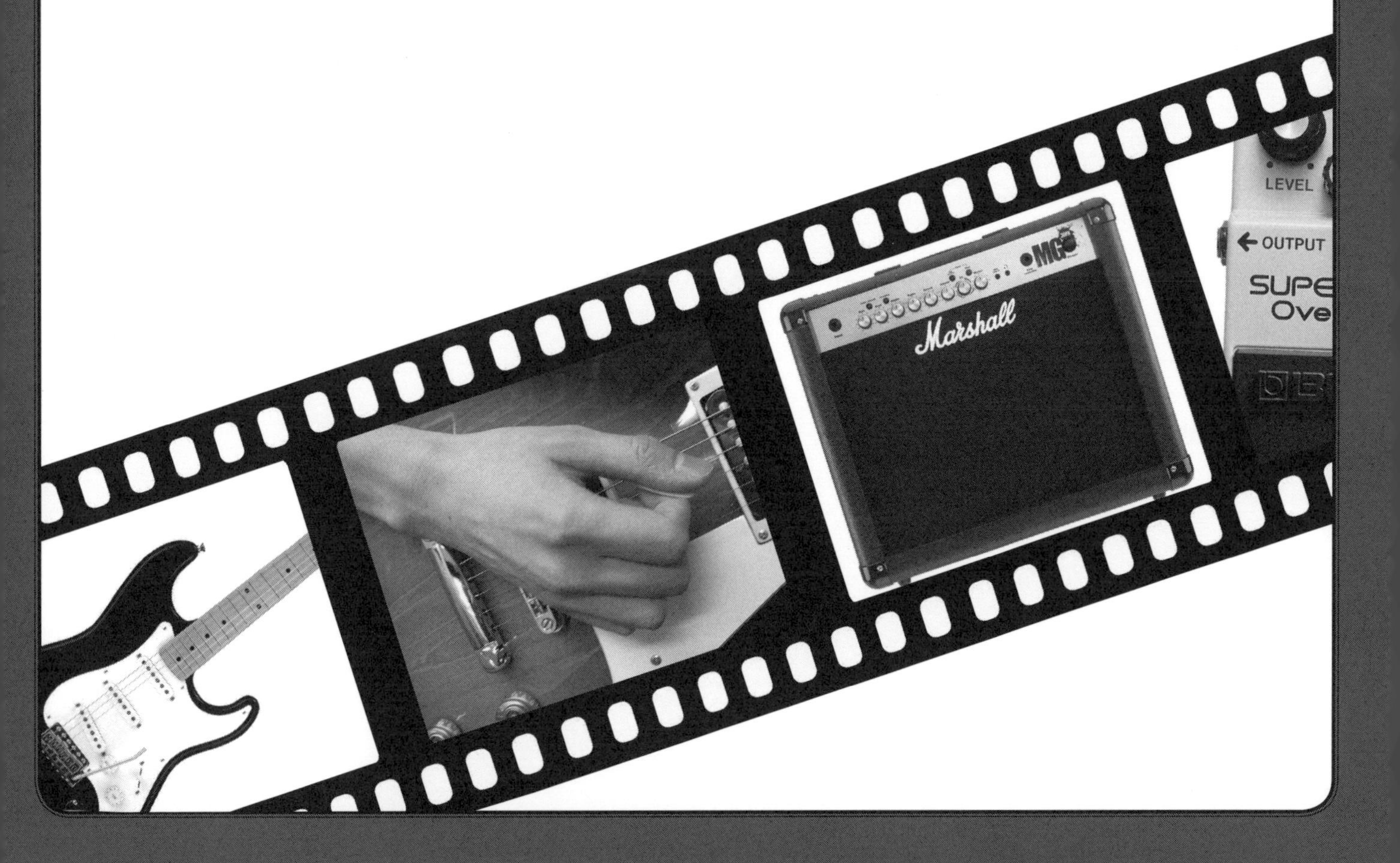

弦振動を拾うピックアップ

ピックアップは、弦の振動を拾い電気信号に変えてアンプへと送るものです。マイクのようなものと思っても良いでしょう。ピックアップには、様々な種類があります。

ピックアップの種類

シングルコイル・タイプ

音の特徴は、「**高域が出る、歯切れが良い、明るい、透明感がある**」、そして、ハムバッキング・タイプより「**ノイズが多い**」のが特徴です。以上のことから、カッティングやアルペジオ等のクリーンな音を使うギタリストに好まれる傾向がありますが、歪ませて弾いているギタリストもいます。

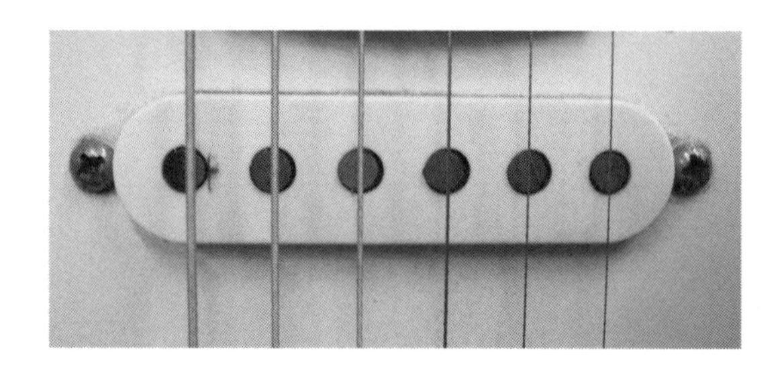

ハムバッキング・タイプ

シングルコイルとは対象的なピックアップが、ハムバッキングです。音の特徴は、「**パワーが出る、音が太い、暖かい**」、さらに「**ノイズが少ない**」のが特徴です。以上のことから、主にロック系の音楽で使われることが多いピックアップです。

その他のピックアップ

上記の代表的な2つのピックアップの他にも、電池を使ったアクティブ・タイプのピックアップ。見た目がシングルコイルで、音もシングルコイルのような音だけどノイズが少ない！というものもあります。

ピックアップ・セレクター

ピックアップ・セレクターとは、その名の通り、使用するピックアップを選択することができるスイッチです。ピックアップを変えるだけで、音質もかなり変わります。

ストラト等で見られる、5段階のもの

５段階のもので、よく見られるのが、フェンダー社のストラトキャスター等です。３つあるピックアップを、それぞれ使用することができ、さらにミックスさせることもできます。

【リア】-【リア＋センター】-【センター】-【センター＋フロント】-【フロント】

このように、切り替えることが可能です。主な特徴は、

【リア】…一番枯れた音が出て、高音が一番出る。ロック等のリフやバッキング（伴奏）、さらにソロでもよく使われる。
【リア＋センター】【センター＋フロント】…ハーフ・トーンと呼ばれるトーン。１つのピックアップを使ったときよりも曖昧で、脱力感のある音がします。クリーン・トーンのカッティング＋アルペジオに使われることが多いようです。
【センター】…ハーフトーンと同じく、カッティング＋アルペジオに使われることが多いようです。
【フロント】…リアとは逆に、中域・低域が出ます。ソロ等で使われることが多いようです。

レスポール等で見られる、3段階のもの

３段階に切り替えられる物で、よく見られるのが、ギブソン社のレスポール等です。２つあるハムバッキングを、切り替えて使用します。

【リア】-【リア＋フロント】-【フロント】

このように、切り替えることが可能です。主な特徴はストラトと同じです。

上記の例は、一例です。リア・フロントでカッティングやアルペジオをする人もいます。つまり、決まりはないのです。自分の耳で確認して使用するピックアップを決めましょう。ソロの途中で切り替えたり、曲間で切り替えるのも良いでしょう。

ギターと同じぐらい重要なアンプ

ギター・アンプは、各社から様々な物が発売されています。アンプごとに音が違いますので購入するときは、一度、試奏してから購入した方が良いでしょう。

歪みに特化したアンプや、自宅練習用、ライブでも使える大きいタイプ等、値段も安いものから高いものまであります。そして主に、アンプヘッドとキャビネットが分かれている物を**スタック・タイプ**、ヘッド部分とキャビネットが一緒になっているものを**コンボ・タイプ**と言います。自宅で練習する場合は、あまり大きな音も出せないと思いますので、コンボタイプが良いでしょう。

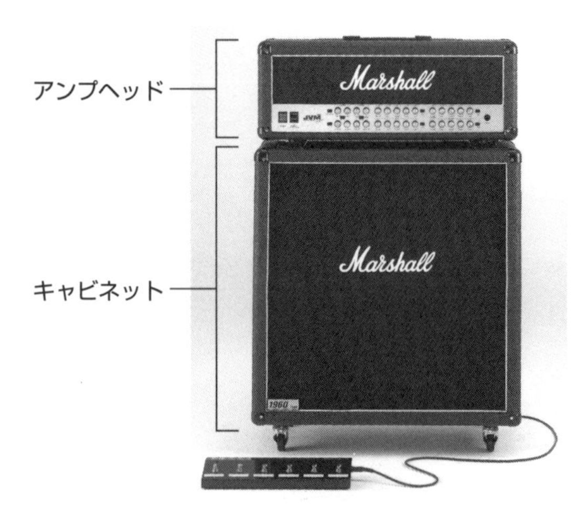

スタック・タイプ

コンボ・タイプ

ここからは、練習スタジオ等でも見られる代表的なアンプ紹介しましょう。

マーシャル

大音量で、歪みを得意としているアンプで、特にロック・ギタリストに好んで使われていることが多いようです。テレビの音楽番組や、ライブ会場等でも目にする機会が多いので、一般的にも認知度が高いでしょう。

音は、真空管を使用している種類が多く、太く暖かみがあります。アンプ単体でも、種類によっては過激な歪みを得ることが可能なので、エフェクター等をつながないギタリストもいます。

※写真のMG30FXは真空管アンプではなくソリッドステート（トランジスタ回路）・アンプになります。

Marshall ／ MG30FX

フェンダー（ツイン・リバーブ）

ギターの製作で有名なフェンダー社のアンプです。こちらも真空管を使っているので、太く暖かみがあります。しかしマーシャルと違い、歪みよりはクリーンな音を得意としてますので、アルペジオやカッティングを好んで弾くギタリストに使われていることが多いようです。

Fender ／ Twin Reverb

ローランド（ジャズ・コーラス）

キーボードや電子機器で有名な、ローランドのアンプです。トランジスタの回路を使用しているので、透明感のあるクリーンな音で抜けが良いのが特徴なのと、非常にエフェクターの相性が良いアンプです。また、アンプにもコーラス等のエフェクターが付いています。

スタジオやライブ・ハウス等に置いてあることが多いアンプですので、このアンプを使いこなせれば、大抵の場所で演奏できます。

Roland ／ JAZZ CHORUS-120

▼ジャズ・コーラスのちょっとした使い方

ジャズ・コーラスは、チャンネル１ー２とギターの音を出力できるチャンネルが２つあり、それぞれにHIGHとLOWのインプットが付いています。なので、ギタリスト２人で使うこともできるアンプです。

さらに、チャンネル１ー２を短いシールドでつなげば、チャンネル１ー２を同時に鳴らすことができるので音圧を上げることも可能です。以下の図のように接続するのが代表例ですが、好きなようにつないで構いません。この方法は一般的には「チャンネル・リンク」と呼ばれています。

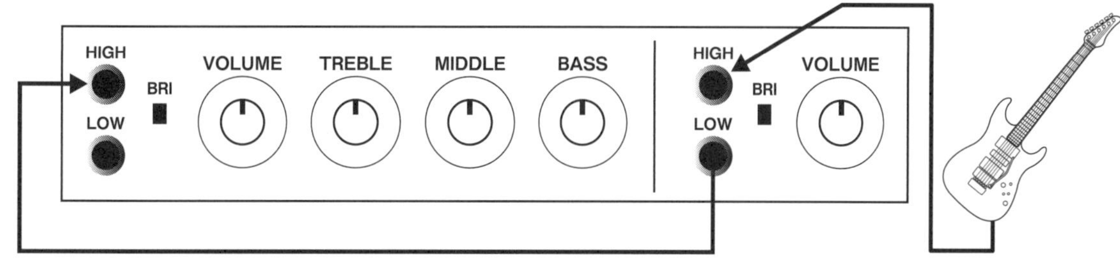

この間にエフェクターを挟むことも可能

チャンネル１ー２をつなぐ間に、エフェクターを挟むことも可能です。エフェクターを挟むと、違う音を同時に出力させることができるようになるので、普段とは違う音を体感できるでしょう。

アンプのセッティング

基本的なアンプのセッティングを紹介しましょう。しかし、ギターも違えばアンプも色々なアンプがありますので、自分の好きな音にならなければ、色々ツマミを動かして試してみるのが良いでしょう。ここでは、ロックでよく使われるマーシャルを例に、紹介していきます。

クリーン

GAINは上げずMASTERで音量を上げましょう。そうすると綺麗なクリーン・トーンになります。

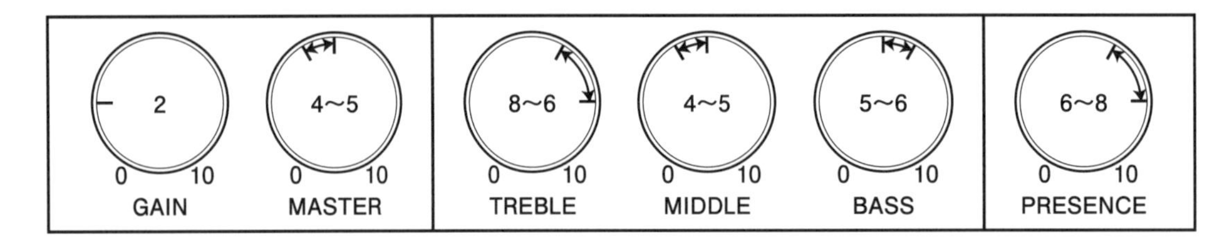

クランチ

GAINを少し上げると音量も上がるので、クリーンのときより若干MASTERを下げます。

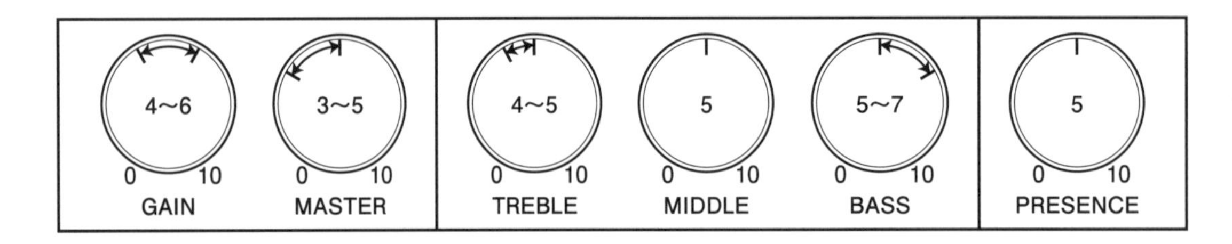

歪み

•バッキング

よく使われるのは通称「ドンシャリ」というMIDDLEを抜いたセッティングです。

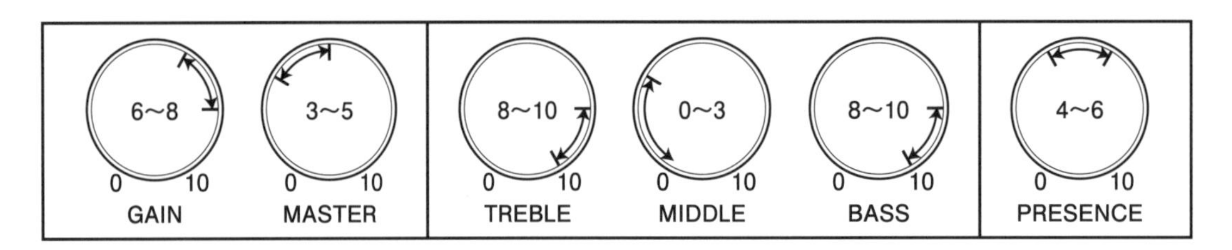

•リード

リードでは逆に、MIDDLEを上げた方が存在感が出る音になります。ギター・ソロ等のときは、エフェクター等を使いMIDDLEを上げると良いでしょう。特にギタリストが2人のとき等は、効果的です。

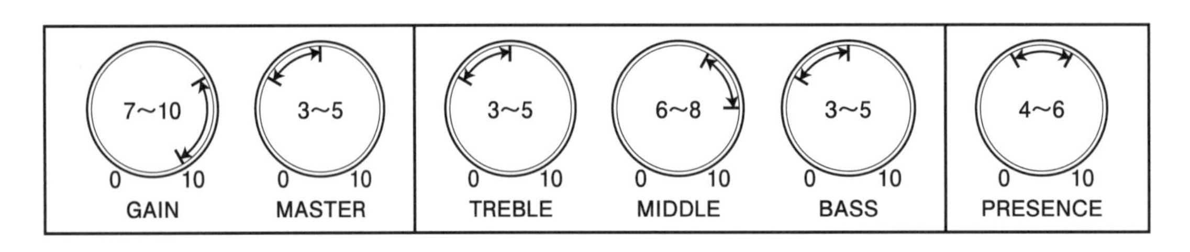

音に色を付加するエフェクター

ギターの音に様々な効果(エフェクト)を付加することができる機材があります。それがエフェクターです。
エフェクターには、大きくわけてコンパクト・エフェクターとマルチ・エフェクターの2種類があります。コンパクト・エフェクターは、基本的に1つのエフェクト、マルチ・エフェクターには様々なエフェクトが入っています。

コンパクト・エフェクター

コンパクト・エフェクターは、各社から様々なものが発売されています。エフェクターを自分で好きなように組み合わせることで、オリジナリティあふれる音作りができるのが最大の利点です。ここから、様々なエフェクターを紹介していきましょう。

コンプレッサー

音を均一にするエフェクター。クリーン・サウンドでのアルペジオやカッティングの**粒を揃える**のによく使われます。派手な音の変化がないので最初は分かりにくいですが、地味に効果があるエフェクターです。

BOSS CS-3

オーバー・ドライブ

音を歪ませるエフェクターです。ハード・ロックの音のようにガンガン歪むわけではなく、少し歪ませたい！というときに使うと良いでしょう。ギターソロで、「**さらに少し歪ませたい、音量を大きくしたい！**」というときにも、よく使われます。ですので、ブースターと言うこともあるようです。

BOSS SD-1

ディストーション

こちらも音を歪ませるエフェクターです。ハード・ロック、パンク等でよく聴かれるギターの音のように、それなりに歪ませたいときに使います。ディストーションを使う場合は、アンプは基本的にクリーンにセッティングした方が良いでしょう(アンプ・エフェクターを、共に歪ませすぎると音が潰れたり、ハウリングをおこしたりします)。

クリーン・サウンドの状態から、このエフェクターを踏むと一気に音色がかわるので、聴きてにインパクトをあたえることができるます。Aメロ／Bメロをクリーン・トーン、サビで歪ませる！等のアレンジもされていますね。

BOSS DS-1

コーラス

音に**広がりと独特のウネリ**を与えるエフェクターです。クリーン・サウンドでのアルペジオ等に使用されることが多いようですが、歪みサウンドと一緒にしようしているギタリストもいます。

BOSS CH-1

ディレイ

「**やまびこ**」のような効果や、音に広がりを与えるエフェクターです。ギターソロで使用したり、アルペジオ等で使われたりします。U2の付点8分音符のディレイは、特に有名ですね。

BOSS DD-3

フランジャー

ジェット機のような「**ジュワ〜ン**」という音を作れるエフェクターです。特にイントロ等で、効果音的に使われることが多いようです。主に、ディストーションと一緒に使用すると良いでしょう。

BOSS BF-3

ワウ・ペダル

音にワウワウという効果をあたえるエフェクターです。カッティングでパーカション的に使用したり、ギター・ソロで使用されることが多いようです。トーンを急激に変えることができるので、効果音としても使うことができるでしょう。

また、ワウを踏み込む途中の状態（半開き）で演奏しているギタリストもいます（マイケル・シェンカー、松本孝弘（B'z）、etc）。

VOX V847

マルチ・エフェクター

マルチ・エフェクターは、その名の通り、複数のエフェクターを１台にまとめたものです。近年は、アンプ・シミュレーターが付いていたり、そのままパソコンに録音できるようにUSB端子が付いていたりするものもあります。様々なエフェクターが１台にまとめられているので、とりあえず色々なエフェクターが欲しい人にはオススメです。

BOSS ME-25

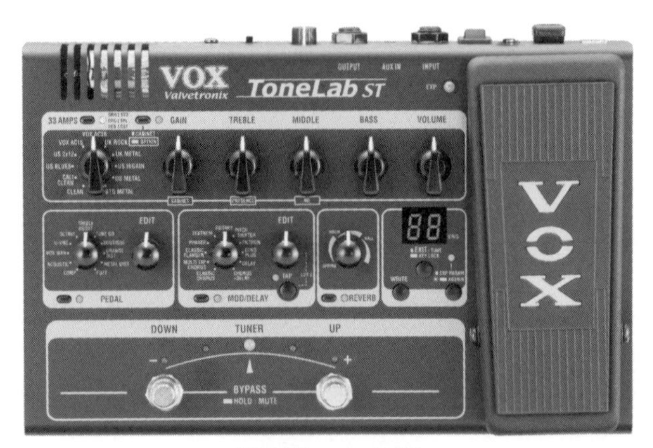

VOX ToneLab ST

4 エフェクターのつなぎ方

エフェクターは、ギターとアンプの間にシールドを使って接続します。複数接続する場合は、**パッチ・ケーブル**と言われる短いシールドで接続すると、音の劣化を防ぐことができます。

EG アンプをクリーンで使用する場合(エフェクターで歪ませる場合)

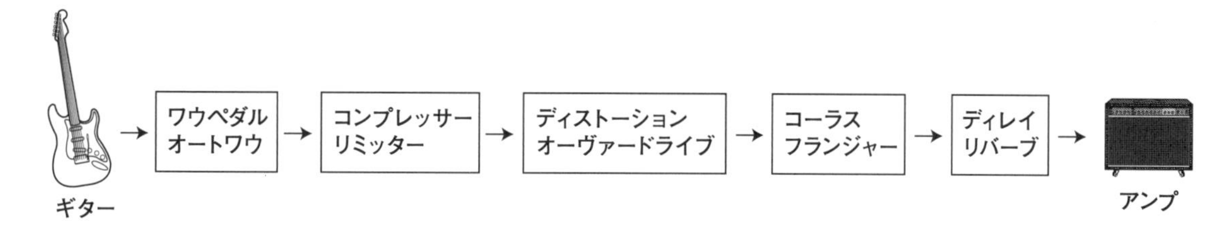

アンプをクリーンで使用する場合は、基本的には上記の図のような順番でつなぎます。ただし、つなぎ方によって音が変わりますので研究してみると良いでしょう。

また、エフェクターの数が多くなると、それだけ電池が必要です。そんなときに役に立つのが**パワー・サプライ**です。パワー・サプライがあれば、一度に複数のエフェクターに電気を供給することが可能です。電池の残量を気にする必要はないのです。

ライン・セレクターを使って接続する場合

エフェクターが多くなると、それだけで足で踏んで操作をするのも大変です。「ここはクリーンだからコンプとコーラスを踏んで、ピックアップはセンターに…」ということになると大変です。一瞬ではできません。そんなときに役立つのが、ライン・セレクターです。

このライン・セレクターを使えば、複数のエフェクターを**一度にON**にすることができます。種類も豊富で各社からループ(センド&リターン)が搭載されている物やバイパス・スイッチが付いているもの等、様々な物が販売されています。では、どんな使い方ができるかを図で確認してみましょう。※機種によっては、使い方に違いがありますので、詳しくは説明書を読みましょう。

①チューナーをつなぐ

図のようにつなぐことで、音を出さずにチューニングできます。ライブ中、曲の間などでチューニングを直すときも、MCの邪魔にならないように音を消してチューニングするのが良いでしょう。

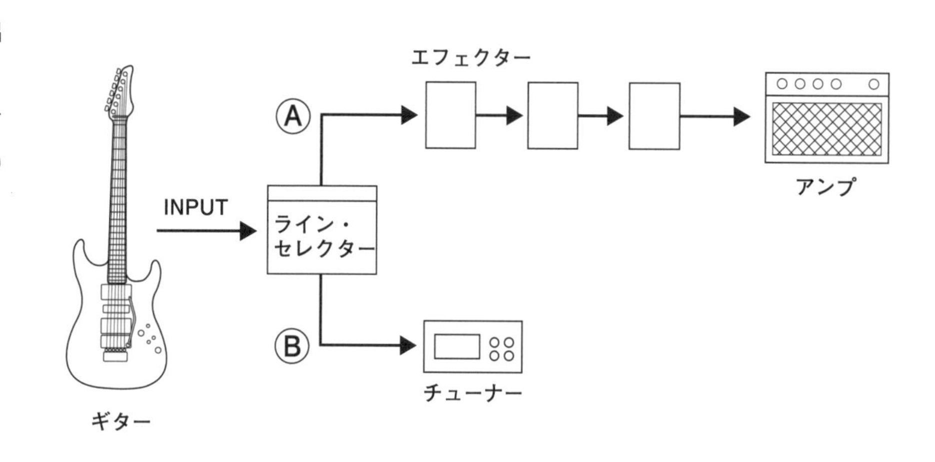

②別々のアンプにつなぐ

このようにつなげると、クリーンはジャズコーラス、歪みはマーシャルといった具合に、別々のアンプを切り替えて使うことができます。

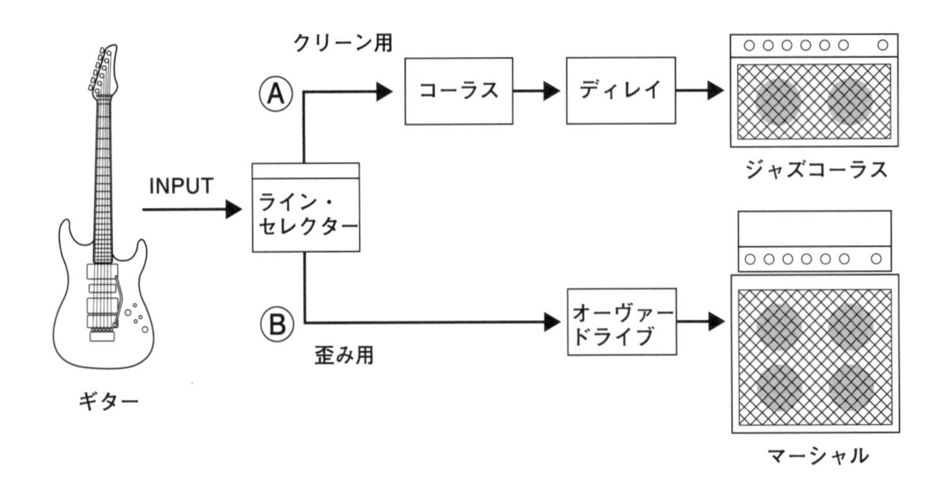

③ライン・セレクターにループがある場合

ライン・セレクターにループが付いているものだと、先ほどのセッティングが1台のアンプでも可能です。

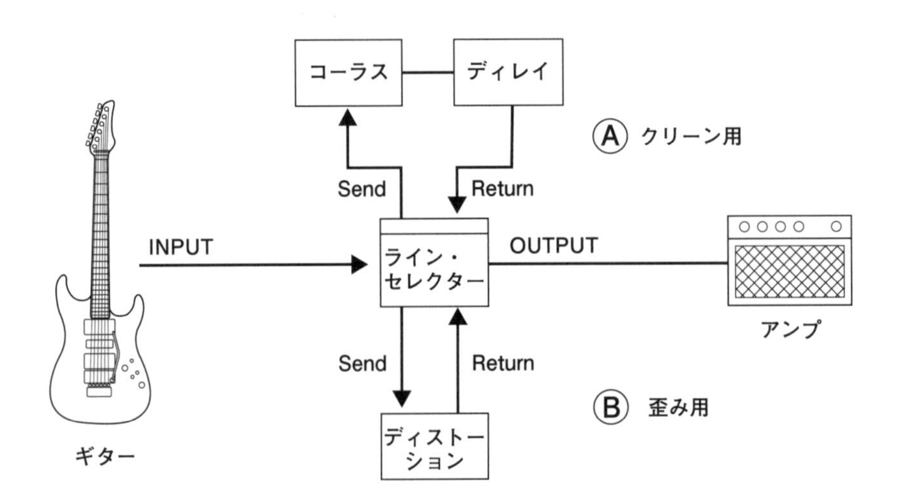

•バッキング用とソロ用

クリーンと歪みの他にも、バッキング用とソロ用をわけて使うこともできます。アイデア次第で、様々な使い方ができるので試してみると良いでしょう。

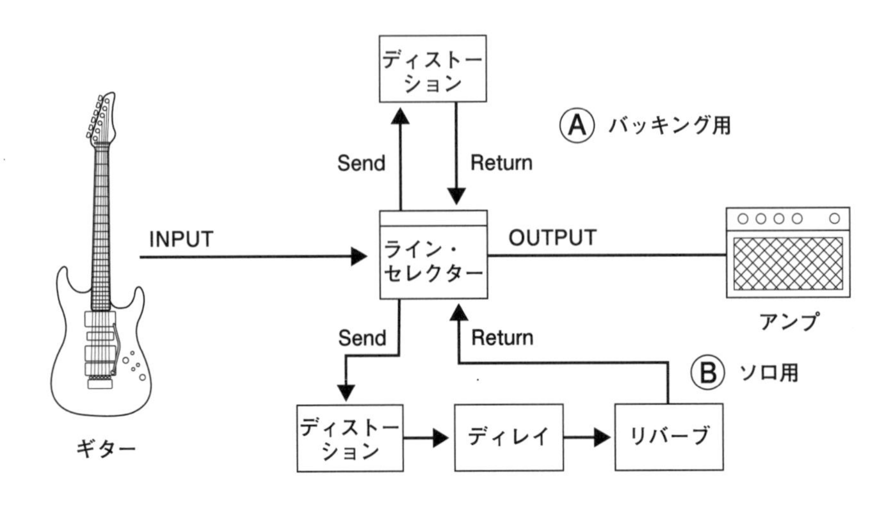

アンプを歪ませて使用する場合

アンプを歪ませて使用する場合は、アンプの**ループ**を使うと良いでしょう。アンプによって付いていたり、付いていないのですが、付いている場合は背面にセンド&リターンの端子がある場合がほとんどです。このループを使った方が、ディレイやコーラスのエフェクトがキレイにかかります。理由は、アンプの前にディレイ等を置いてしまうと、ディレイがかかった音を歪ませることになるからです。P.71の「アンプをクリーンで使用する場合」からも分かるように、歪ませてからループを使ってエフェクトをかけたほうが、キレイな音になります。

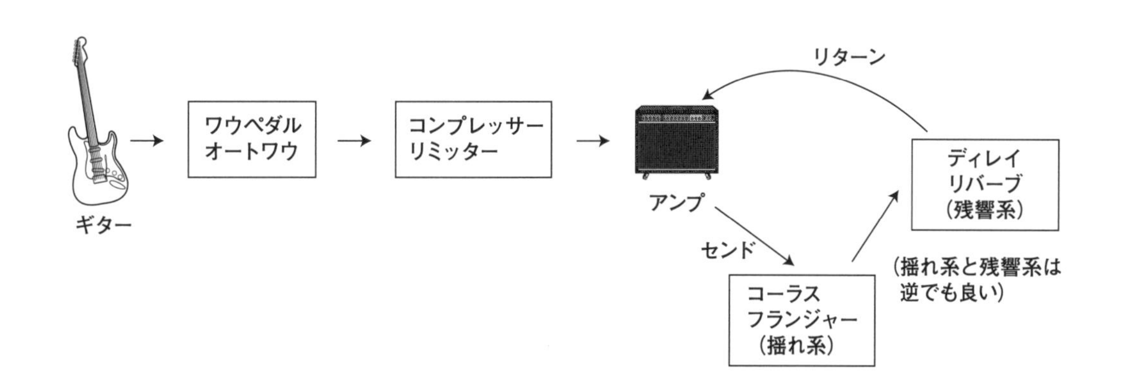

マルチ・エフェクター、アンプ・シミュレーターを使用する場合

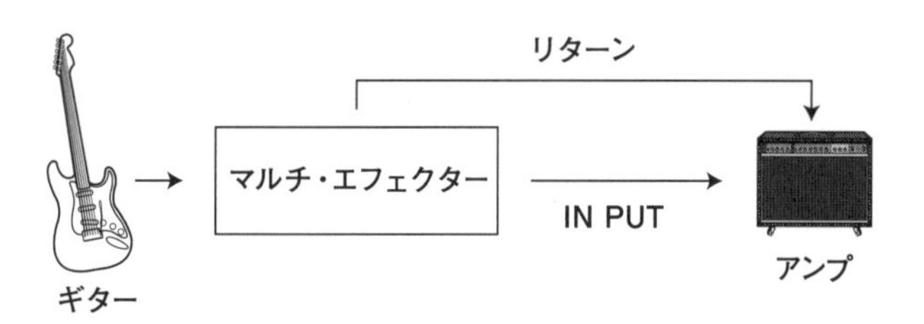

マルチ・エフェクターを使用する場合は、アンプをクリーンに設定してインプットに接続します。アンプ・シミュレーターの機能がついている場合は、

- **シミュレーターの機能を活かしたい場合=アンプ背面のリターン端子に接続する**
- **シミュレーターの機能は使わず、接続したアンプの音を活かしたい場合=エフェクター側のシミュレーター機能をオフにしてアンプのインプットに接続する**

リターンに接続した場合は、アンプの音をコントロールする部分(プリアンプ)に接続しないので、マルチ・エフェクター側で音量等を調整します。

SECTION 5 ギター・グッズ

ELECTRIC GUITAR

ピック

ピックも各社から、様々なものが発売されていますが、基本的な形は「**どこを持っても使えるおにぎり型**」と「**先が長いティアドロップ型**」がほとんどです。ピックの形でも音は変化しますが、ピックの厚さや材質等でも変化します。材質は、「プラスティック、セルロイド、合成樹脂」などが主流です。

おにぎり型

ティアドロップ型

どんなピックを使ったら良いの？

ギタリストの弾くジャンルやスタイルによって、好みが分かれます。自分が、どんな演奏をしたいか？どんな曲が好きか？を再度確認して、使うピックを決めましょう。主に、以下のような傾向があるようです。※ピックの固さは、ソフト＝やわらかい、ミディアム＝中間のやわらかさ、ヘヴィ＝固い

- **ストロークを重視する場合は、「おにぎり型、柔らかいピック」**
- **速弾き、リードプレイを重視する場合は、「ティアドロップ型、固いピック」**
- **ストローク・リードプレイ、共に重視する場合は、「ティアドロップ型、固くも柔らかくもないピック」**

楽器店に行くと、おにぎり型で固いピックや、ティアドロップ型で柔らかいピックもあります。楽器店で実際に握り、感触を確かめて気に入った物を購入しましょう。

シールド

シールドも、各社から色々な物が発売されています。音質も各社によって変わりますが、最初は「**長さ**」をきちんと見て購入しましょう。家電製品でも、「コードが短くて移動できない！」なんて経験ありませんか？　シールドが短すぎると、アンプの前から動けなくなってしまいます。自宅で練習するには充分かと思いますが、スタジオに入ったり、ライブをする場合は、ある程度の長さがあった方が良いでしょう。もちろん、アンプの前から動かない方は短いシールドでも大丈夫ですし、短い方が基本的に音質は良いでしょう。

弦

ギターの弦は消耗品ですので、定期的に張り替える必要があります。ずっと弾いてると弦が錆びていき、演奏中に弦が切れてしまう可能性があります。さらに、錆びた弦と錆びていない弦では音質も変わってきます。

色々な弦

弦には色々な種類がありますが、ここでは2つ紹介します。

まず、**コーティング弦**という弦があります。他の弦より値段が高めですが、弦の寿命が他の弦より長く、さらに音質も長持ちします。値段が高いのが痛いところですが、長い目でみれば、経済的かもしれません。

さらに、ヘヴィボトムという弦も売っています。これは、通常の弦のセットに比べて低音弦が太くなっています（右記写真、P76参照）。低音弦の骨太なリフを弾きつつ、ソロでチョーキングやビブラートをたくさん使う人には良いでしょう。

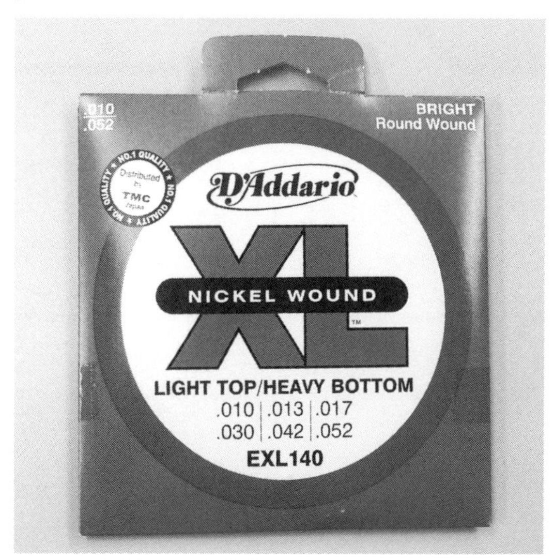

DAddario ／ Light Top/Heavy Bottom

ストラップ

立って演奏するときに必要になるのがストラップです。ストラップも楽器店で、様々な種類の物が売られています。ルックスや素材の違い等で、値段も安い物から高い物まであります。

弦を交換しよう

ギターの弦は消耗品で、ずっと弾いていると弦が錆びていき音質も劣化していきます。弦の種類や、部屋の湿度等で錆び具合も異なりますが1ヶ月〜2ヶ月ぐらいに1度は張り替えておきましょう。

弦の種類

弦の種類は、太さや構造によって分類されています。弦の太さを**ゲージ**と呼び、単位はインチで表されています。ロックやポップス等では、0.09インチから始まるスーパー・ライト・ゲージ、0.10インチから始まるライト・ゲージがよく使われています。そして1〜3弦に使われているツルツルした弦を**プレーン弦**。4〜6弦に使われているザラザラした弦を**ラウンド・ワウンド弦**と言います。

	1弦	2弦	3弦	4弦	5弦	6弦
エキストラライトゲージ	.008	.010	.014	.022	.030	.038
スーパーライトゲージ	.009	.011	.016	.024	.032	.042
ヘヴィボトムゲージ	.009	.011	.016	.026	.036	.046
ライトゲージ	.010	.013	.017	.026	.036	.046
レギュラーゲージ	.013	.016	.028	.032	.044	.054

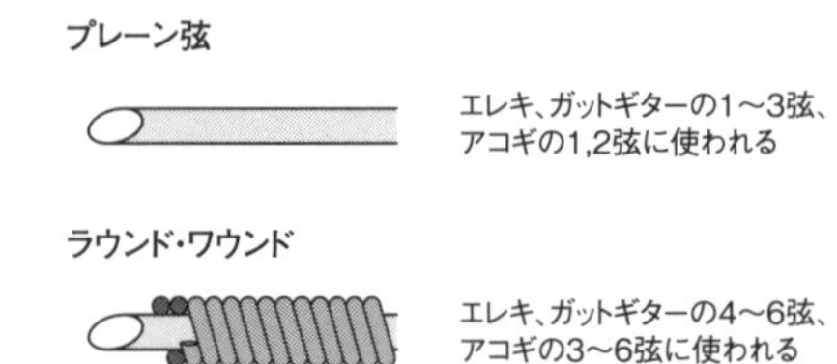

弦の交換方法

古い弦から新しい弦に交換するときは、1本ずつ行いましょう。また、交換しながらギター用クロスや乾いた布でフレットやボディ全体を拭いて掃除もしましょう。

①古い弦をペグを緩めてネックの中間あたりでニッパーで切り、ペグ側とブリッジ側から抜き取る。

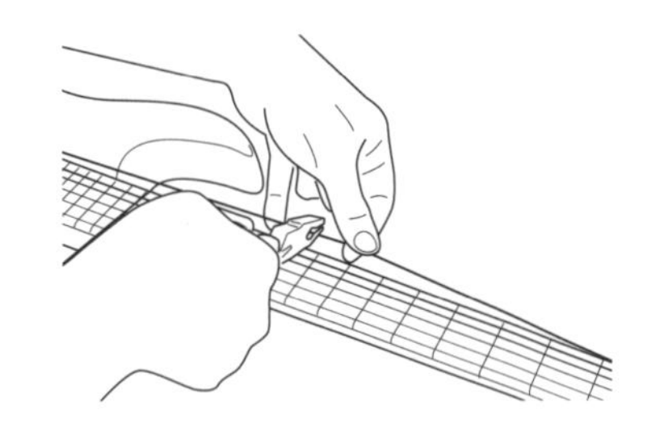

②新しい弦のボール・エンド（弦の片側についている止め具）の付いていない方をストラトはボディ裏側、レスポールはテイル・ピースの穴に通す。

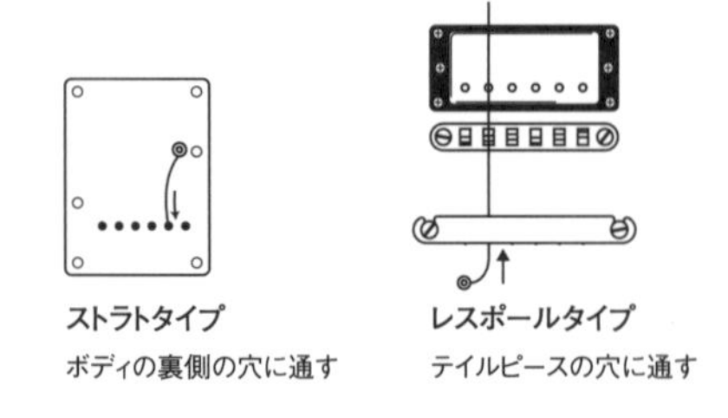

③ブリッジ側から出てきた弦をねじれないように手で押さえながらペグ側に伸ばし、ストリング・ポストの穴に通す。ストリング・ポストに差し込むタイプは、弦を丁度良い長さに切ってから差し込む。

<ストリング・ポストの穴に通すタイプ>

穴に通したらペグを締めるのと反対方向に弦を交叉させる。

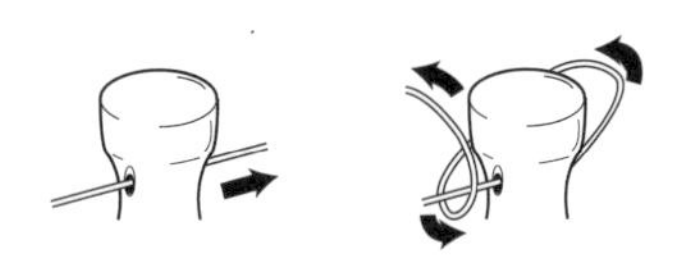

<ストリング・ポストに差し込むタイプ>

差し込む前に、2つ先のペグのあたり（6弦だったら4弦ペグのあたり）でニッパーで切り、中央の穴に差し込んで溝にはめる。

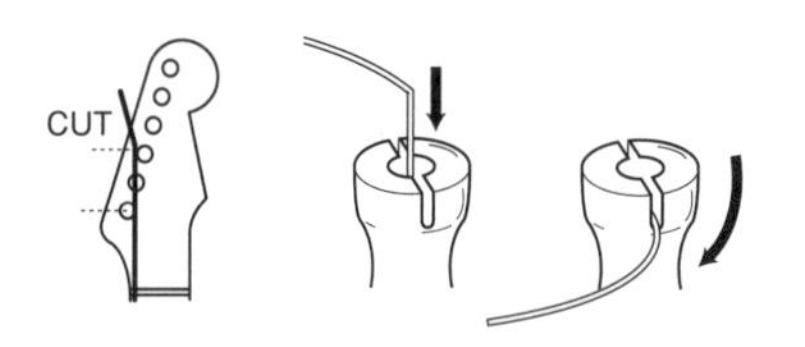

④弦を手で引っ張りながらペグを回し、上から下に向かって巻いていく。ストリング・ポストの穴に通すタイプのギターは、5mmほど残して弦を切る。このとき、高音弦にストリング・ガイドがついているタイプは弦を下に引っ掛けてから巻く。

⑤6弦、全て張り替えらたら一度チューニングして、全ての弦を引っ張って弦を延ばしてみましょう。そうすると、演奏中にチューニングがずれてしまうことが少なくなります。引っ張った後は、もう一度チューニングして完成です。

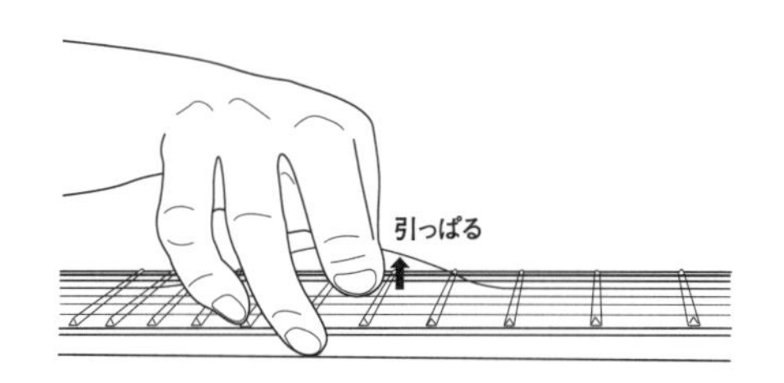

7 実音でチューニングしよう！

ギターを弾き続けていると耳も育っていき､演奏中にチューニングが狂って｢おかしいな？｣と気付く人もいます。そんなときに実音チューニングを覚えておけば、チューナーを使わず瞬時にチューニングすることができます。実音チューニングする際は音叉を使ったり、バンドを組んでいてキーボードがいる人は、キーボードに音を出してもらいましょう。

音叉とは？

音叉は写真のような棒になっていて、叩くとA音（440Hz＝ラの音）を鳴らすことができます。楽器店で安価に売っていますので、チューナーと一緒に持って置けば、どちらか忘れたときでもチューニングできます。

実音チューニングのやり方

①まずは5弦の5フレットでハーモニクスA音を出して、ピアノのA音や音叉等で音を耳で合わせましょう。同時に鳴らしたときに「ウォンウォン」とうねりが出ているときは、音がずれていて、音が近くなっていくと次第にウネリが収まり「ポーン」というキレイな響きになります。キレイな響きになれば、音が合っています。

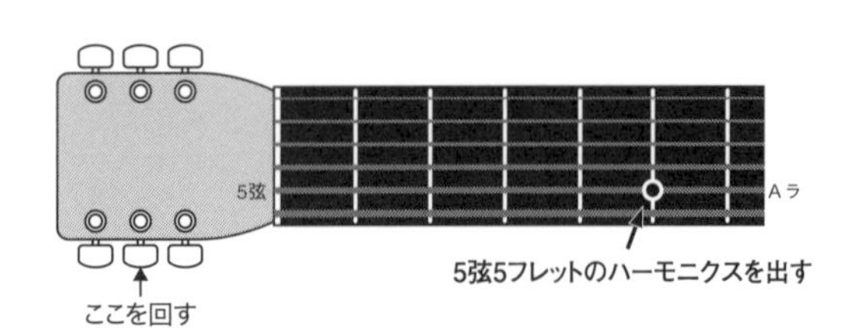

②6弦の5フレットを押さえて鳴らした音を、5弦の開放弦のA音に合わせます。

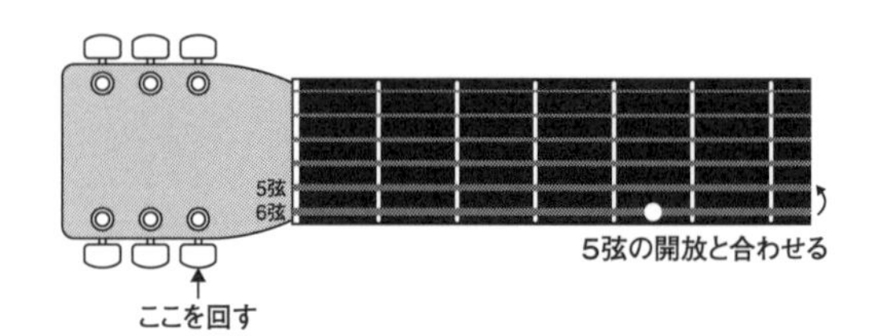

③5弦の5フレットを押さえて鳴らした音に、4弦の開放弦のD音に合わせます。

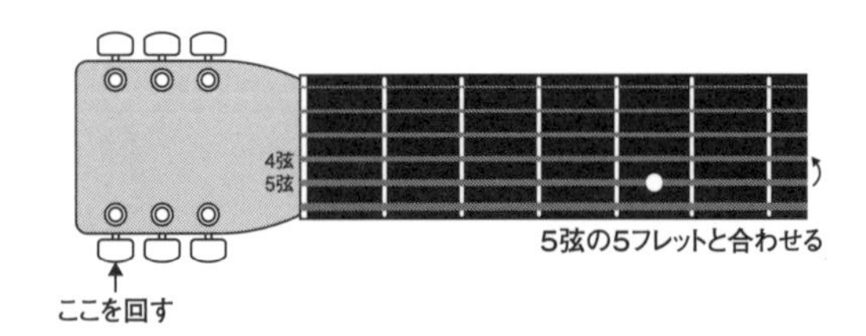

④4弦の5フレットを押さえて鳴らした音に、3弦の開放弦のG音に合わせます。

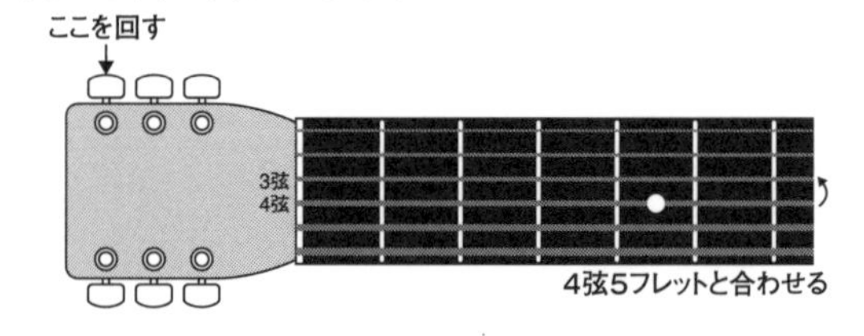

⑤3弦の4フレットを押さえて鳴らした音に、2弦の開放弦のB音に合わせます。

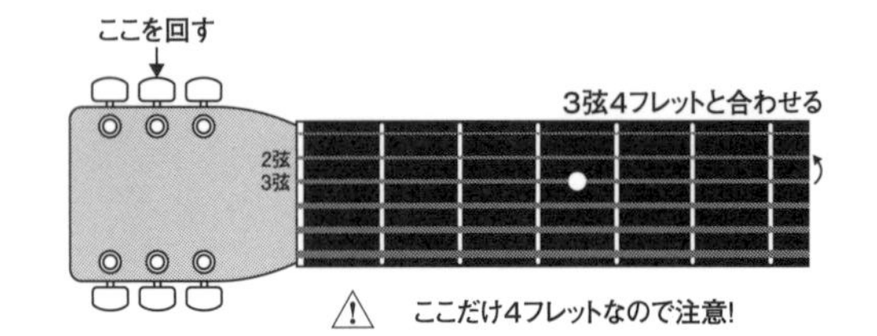

⑥2弦の5フレットを押さえて鳴らした音に、1弦の開放弦のE音に合わせます。

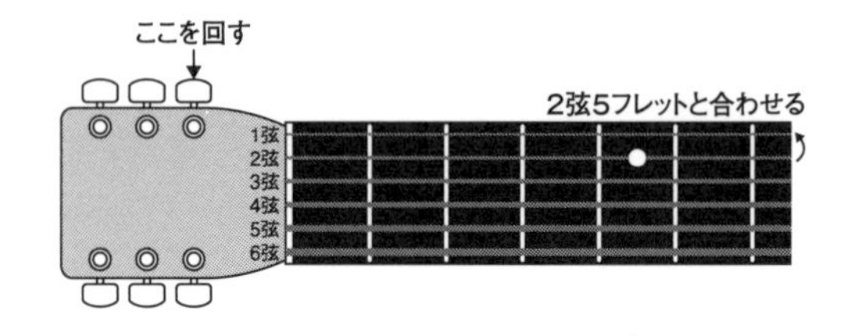

ハーモニクスでチューニング

実音チューニングの他に、ハーモニクスでチューニングする方法があります。ハーモニクスを簡単に出すことができないと難しいですが、音叉を使ったチューニング方法は、こちらで行うことが殆どです。

①まずは5弦5フレットでハーモニクスA音を出して、ピアノのA音や音叉等で音を耳で合わせます。ここは、実音チューニングと同じですね！

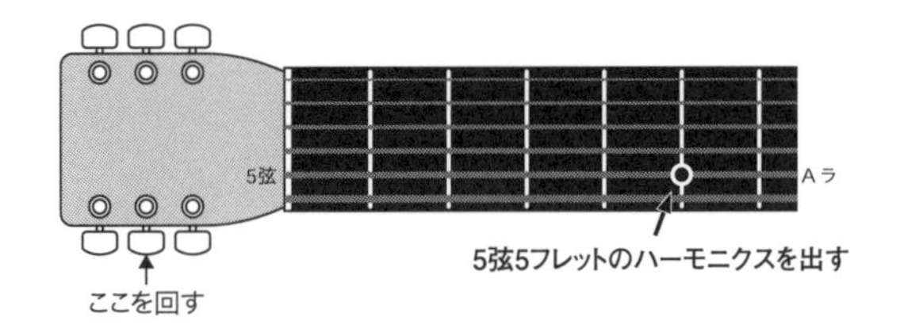

②6弦5フレットのハーモニクスを、5弦7フレットのハーモニクス音に合わせます。

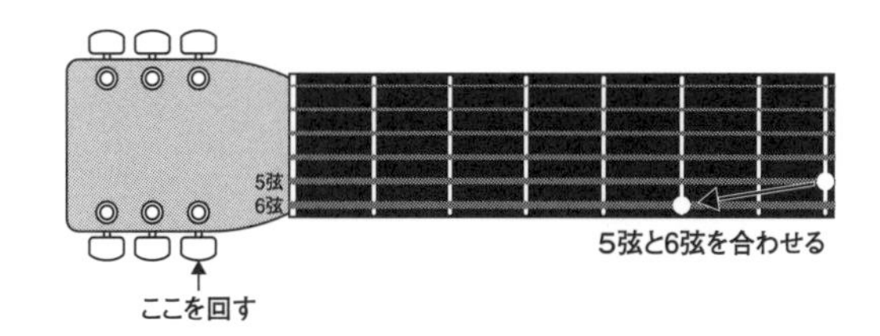

③5弦5フレットのハーモニクスに、4弦7フレットのハーモニクス音を合わせます。

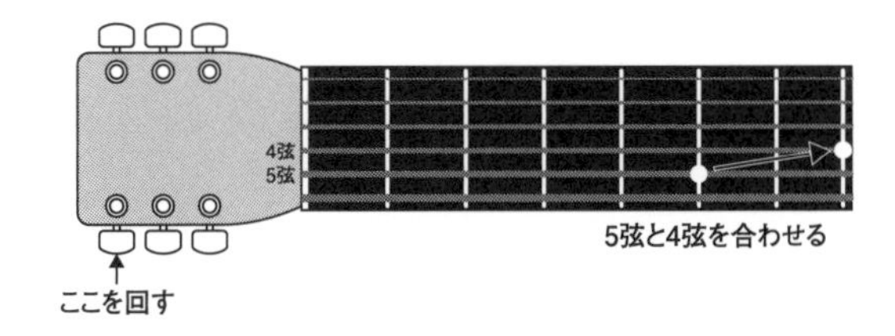

④4弦5フレットのハーモニクスに、3弦7フレットのハーモニクス音を合わせます。

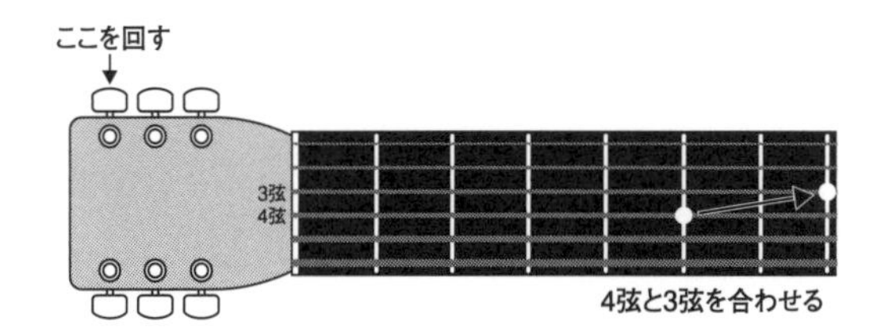

⑤6弦7フレットのハーモニクスに、2弦の開放弦のB音（12フレットのハーモニクスでも可）を合わせます。

⑥2弦5フレットのハーモニクスに、1弦7フレットのハーモニクス音を合わせます。

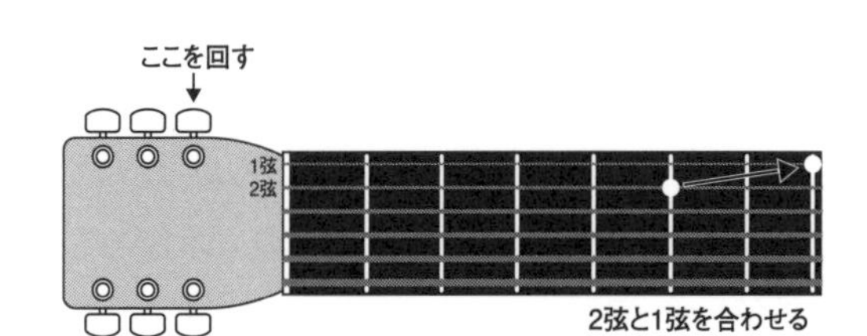

column

あると便利なカポタスト

ギターのネックにはめることで、ナットの位置を移動する機能を果たすアイテムです。つまりカポタスト部分が0フレットになるため、ポジションを変更せずに簡単にキーが変えられるものです。これにより、押さえるのが大変なコードなどをやさしく弾くことができたり、歌いにくい曲のキーを変更できたりします。

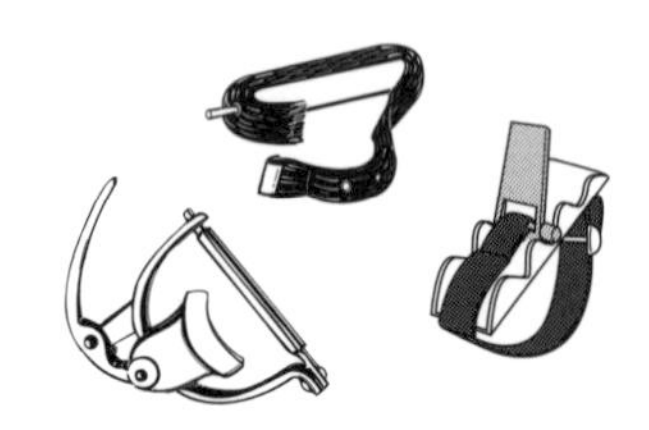

Original Key = E Capo 2 : Play D

このような表記が曲の最初にあったらカポタストを2フレットに付けて弾きます。
「この曲はキーDでアレンジされており、カポタストを2フレットに付けると、オリジナルと同じキーEになります」という意味です。

応用曲

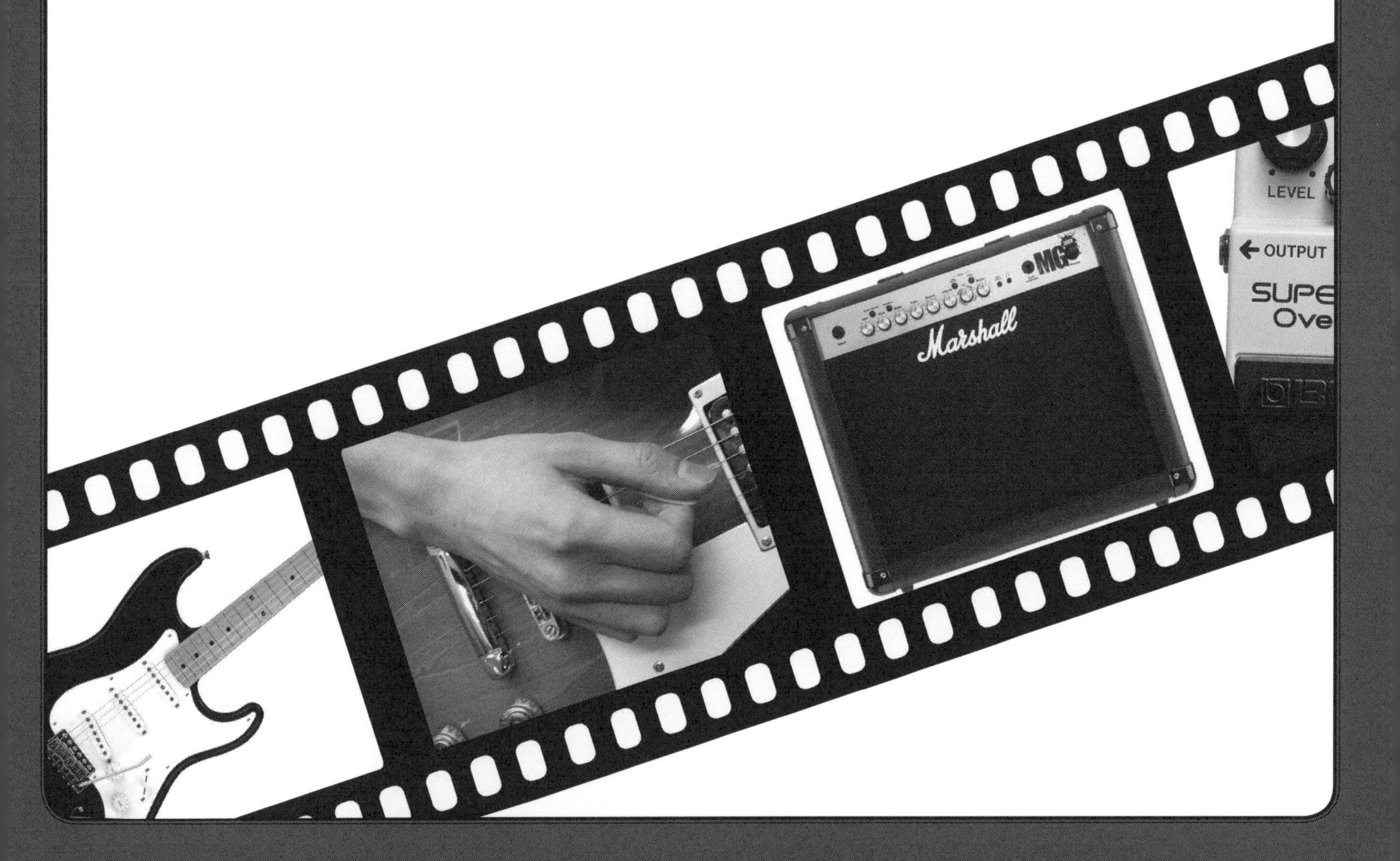

閃光

[Alexandros]

作詞・作曲：川上洋平

演奏のポイント

イントロのフレーズが印象的で、闇の世界から一筋の光が見えてくるような曲です。

ギターは Capo.1 でプレイするとやさしく弾けます。イントロのフレーズも、４小節の繰り返しですので、ポジションをしっかりとって覚えてしまえば大丈夫です。

A からはパワー・コードでのバッキングです。８ビートのストロークは、テンポが速いのでダウン＆アップ。音質をややミュートさせながら、淡々と８ビートを刻みましょう。B からは実音で、広がりを出していきます。プリング・オフも滑らかに弾けるようにしましょう。C からはパワー全開で弾きますが、フレーズの切れ目でのキメではドラムやベースとタイミングをしっかり合わせましょう。途中の３連符は慌てずに。

Original Key = A♭, Capo1 : Play G

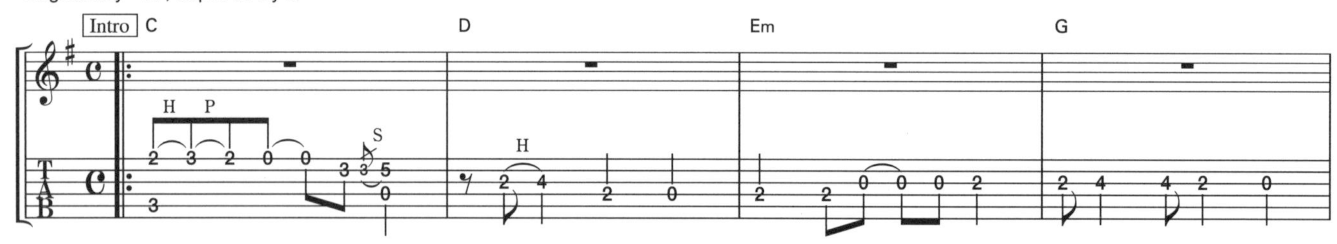

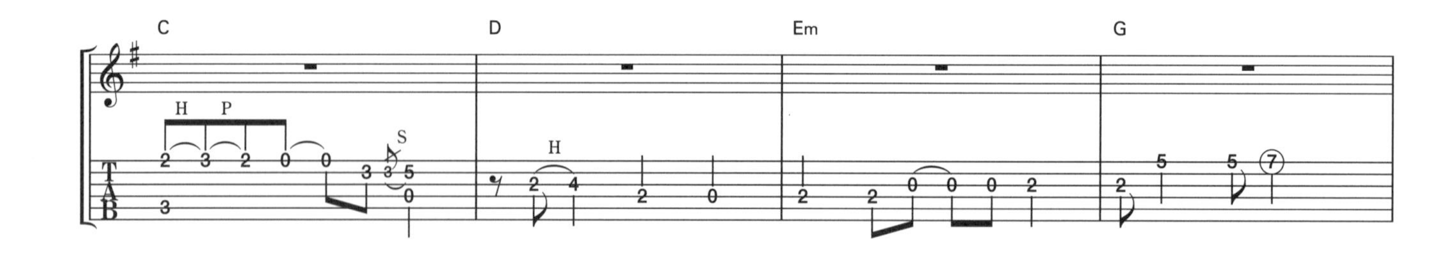

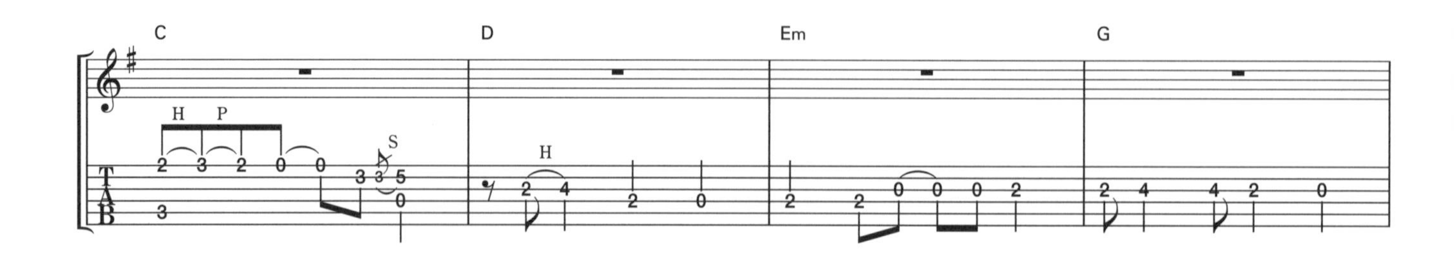

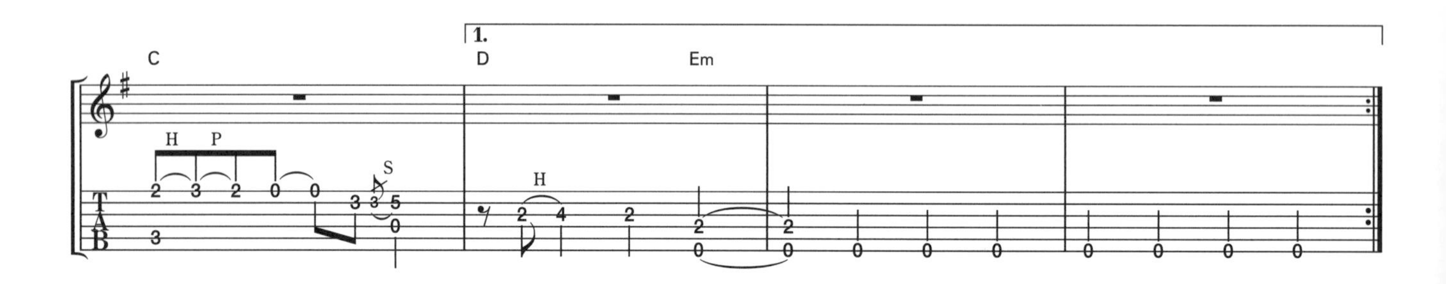

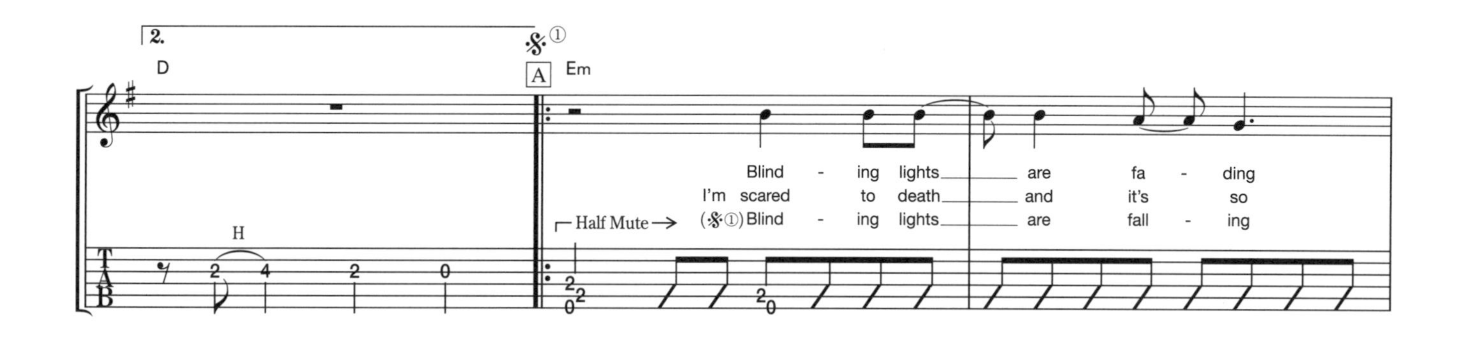
2.
D
H
A
Em
Half Mute→
Blind - ing lights are fa - ding
I'm scared to death and it's so
(𝄋①) Blind - ing lights are fall - ing

G
C
out from the night あ ど け ない ー ゆ め ー か
cold all the time あ た り ち ー ら し ー み
down from the sky あ ど け ない ー ゆ め ー お

C
D
か げ た ー い た み を し ら な い あ か ご の よう ー に
だ れ た ー み と め た く な い か こ お も い だし ー て
もい だ す ー こ こ ろ を お と し た お と な の よう ー に

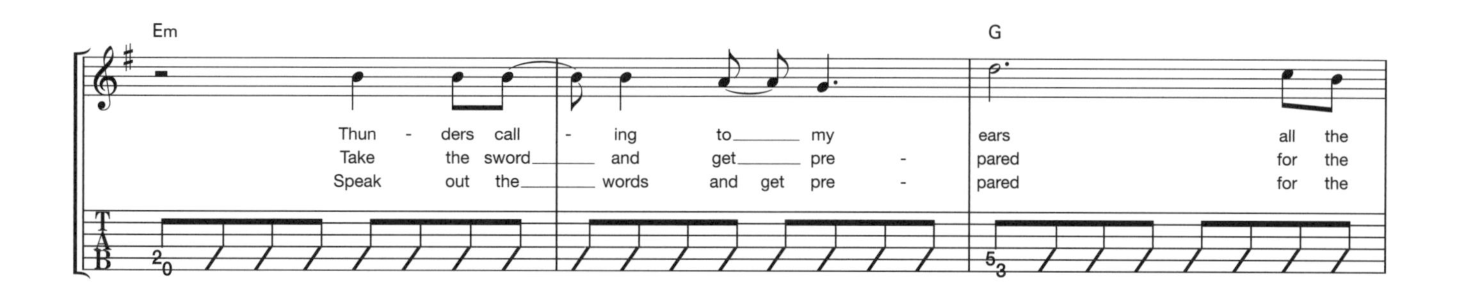
Em
G
Thun - ders call - ing to my ears all the
Take the sword and get pre - pared for the
Speak out the words and get pre - pared for the

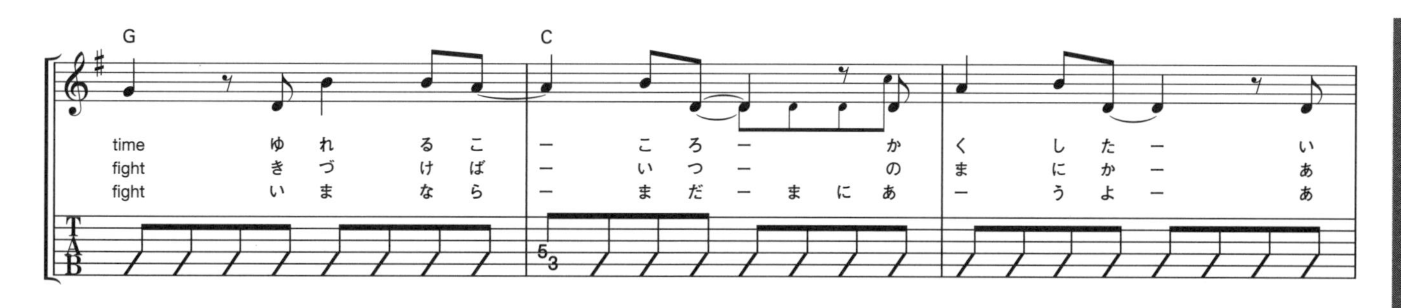
G
C
time ゆ れ る こ ー こ ろ ー か く し た ー い
fight き づ け ば ー い つ ー の ま に か ー あ
fight い ま な ら ー ま だ ー ま に あ ー う よ ー あ

第六章 応用曲

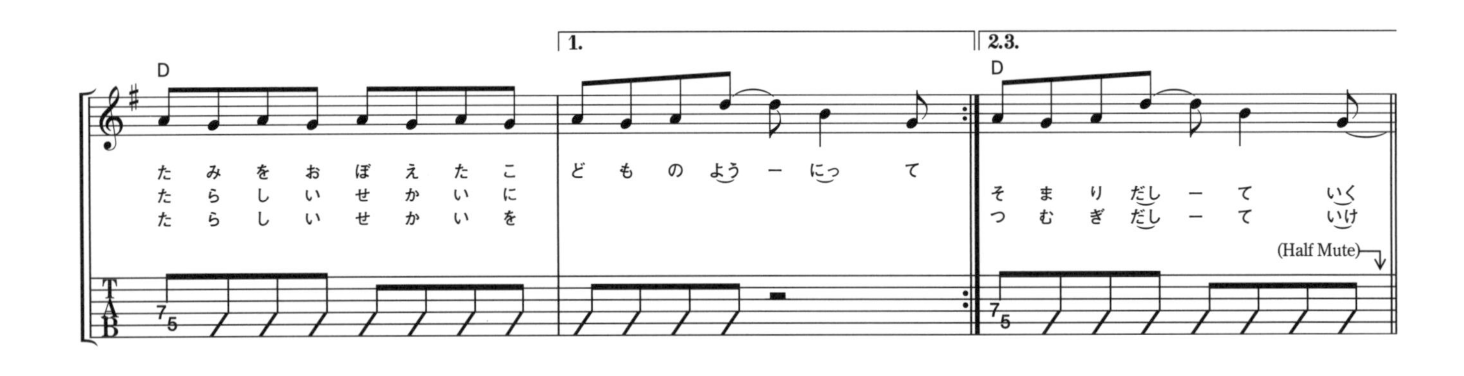
1.
2.3.
D
D
たみをおぼえたこ どものようーにって
たらしいせかいに そまりだしーて いく
たらしいせかいを つむぎだしーて いけ
(Half Mute)
T
A
B

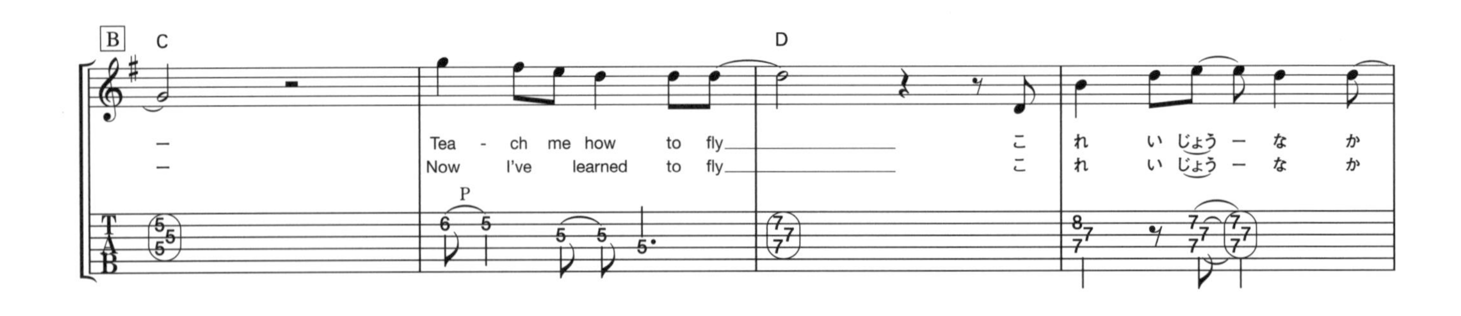
B
C
D
ー Teach me how to fly これいじょうーなか
ー Now I've learned to fly これいじょうーなか
P
T
A
B

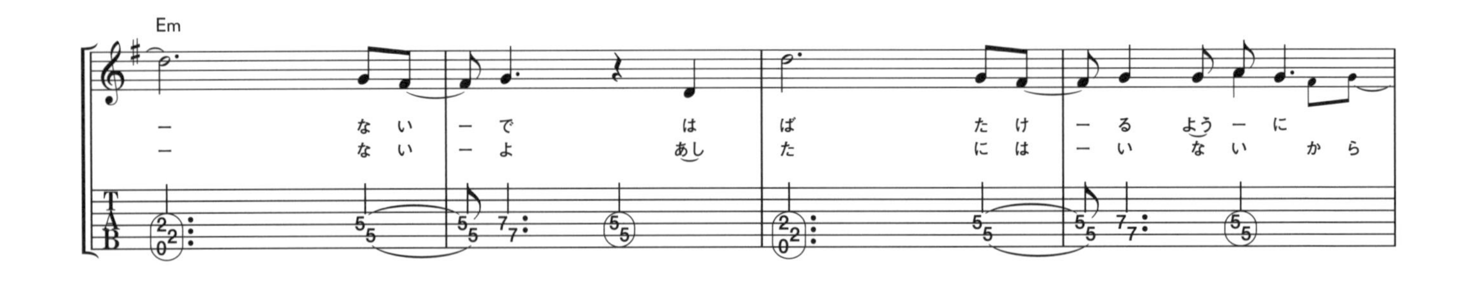
Em
ー ないーで は ばたけーるようーに
ー ないーよ あし たにはーいないから
T
A
B

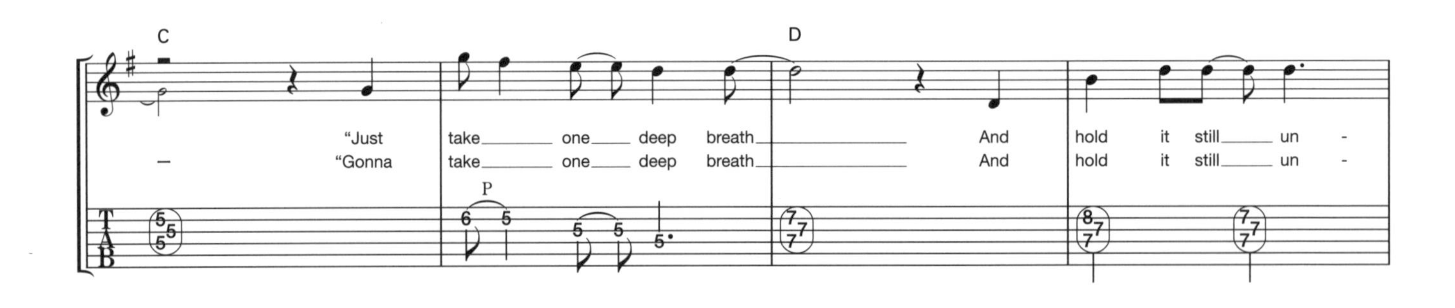
C
D
"Just take one deep breath And hold it still un-
ー "Gonna take one deep breath And hold it still un-
P
T
A
B

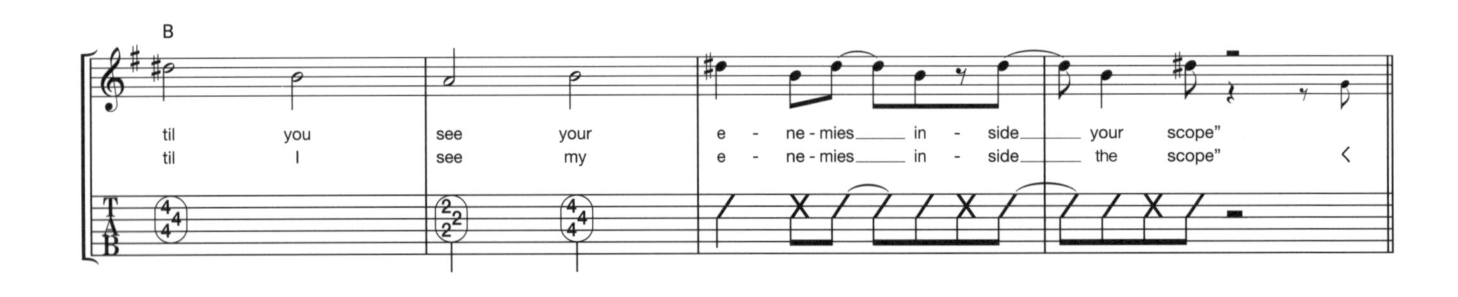
B
til you see your e-ne-mies in-side your scope"
til I see my e-ne-mies in-side the scope" く
T
A
B

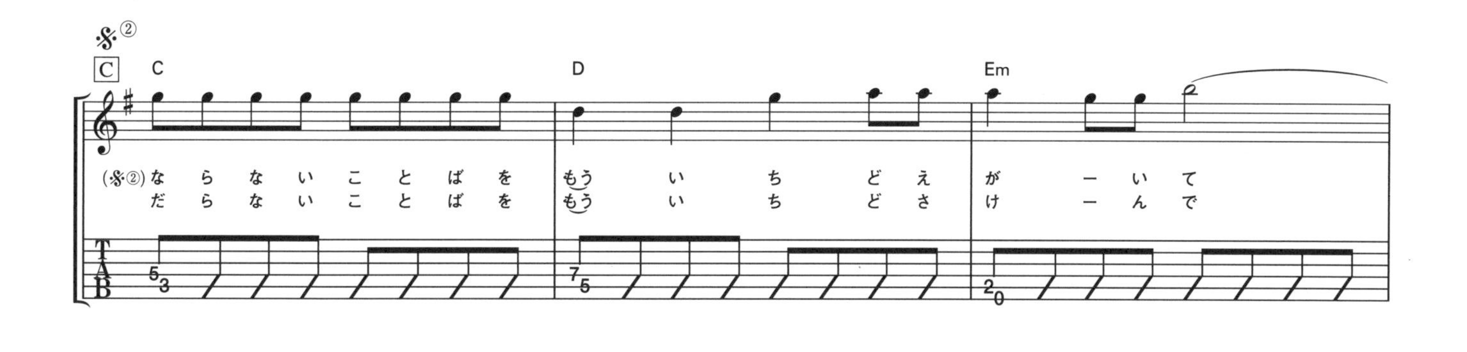
𝄋②
C
C D Em
(𝄋②) な ら な い こ と ば を もう い ち ど え が ー い て
だ ら な い こ と ば を もう い ち ど さ け ー ん で
T
A
B

G C D
ー あ か い ろ に そ ま る じ かん を おき わ
ー だ れ に も そ ま ら な い こ こ ろ い
T
A
B

Em C
す れ さ れ ば か な し い せ か い は
だ い た な ら あ た ら し い せ か い は
T
A
B

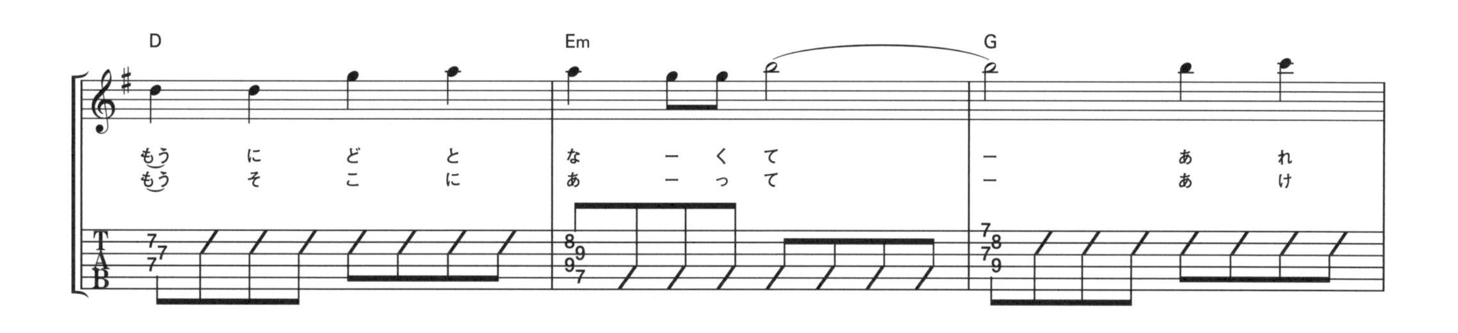
D Em G
もう に ど と な ー く て ー あ れ
もう そ こ に あ ー っ て ー あ け
T
A
B

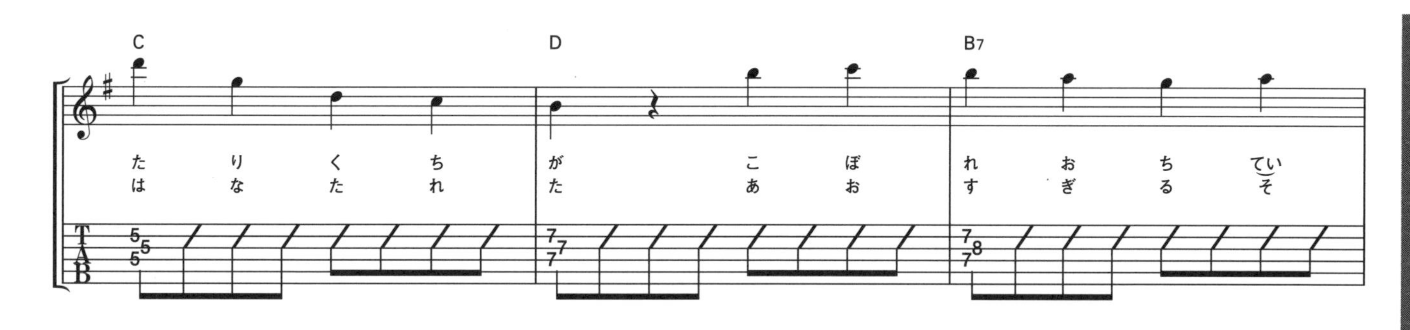
C D B7
た り く ち が こ ぼ れ お ち てい
は な た れ た あ お す ぎ る そ
T
A
B

第六章 応用曲

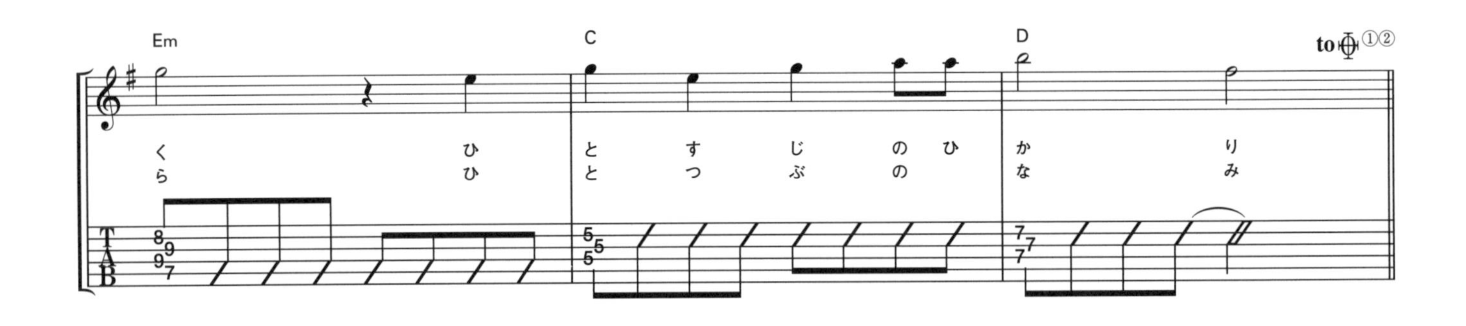
Em
C
D
to ①②
く ひ と す じ の ひ か り
ら ひ と つ ぶ の な み

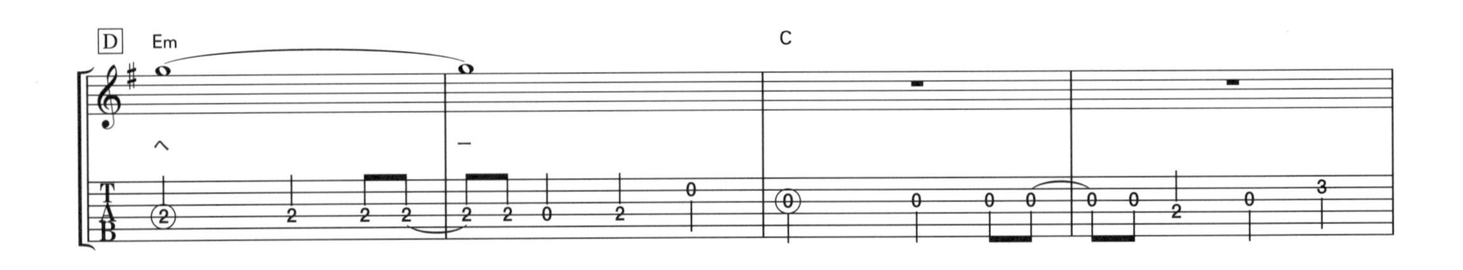
D
Em
C
へ ー

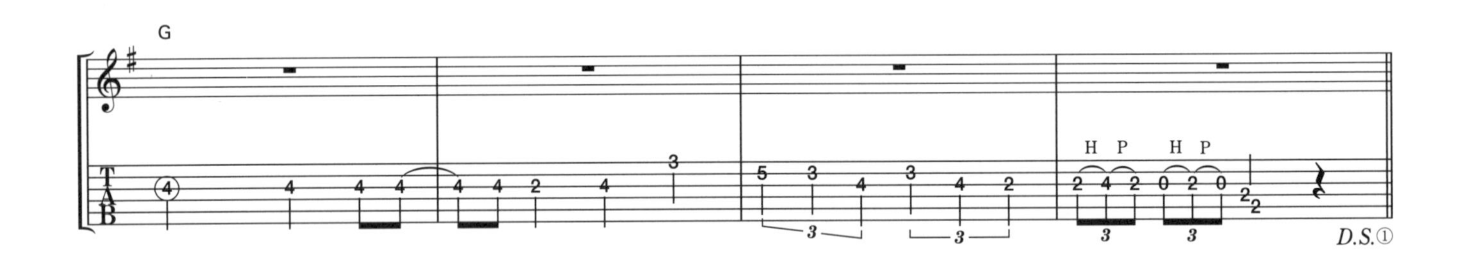
G
H P H P
D.S.①

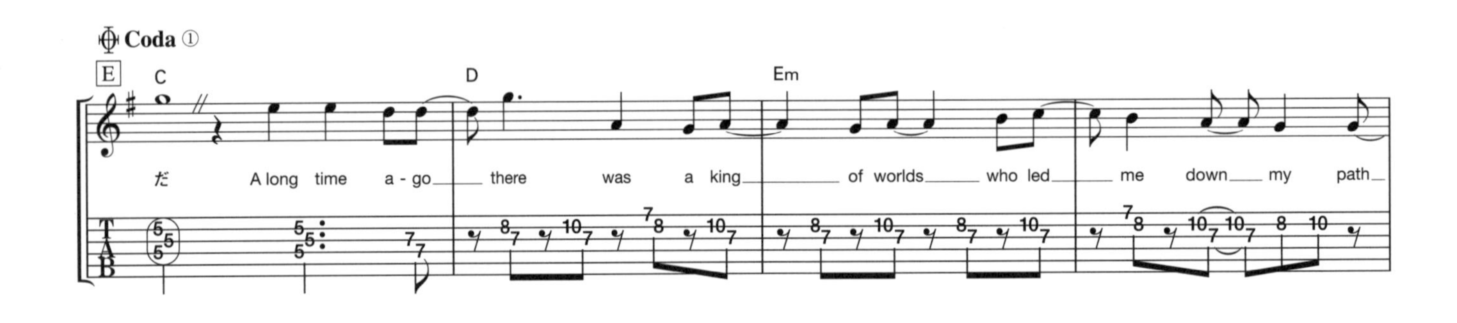
Coda ①
E
C
D
Em
だ A long time a - go there was a king of worlds who led me down my path

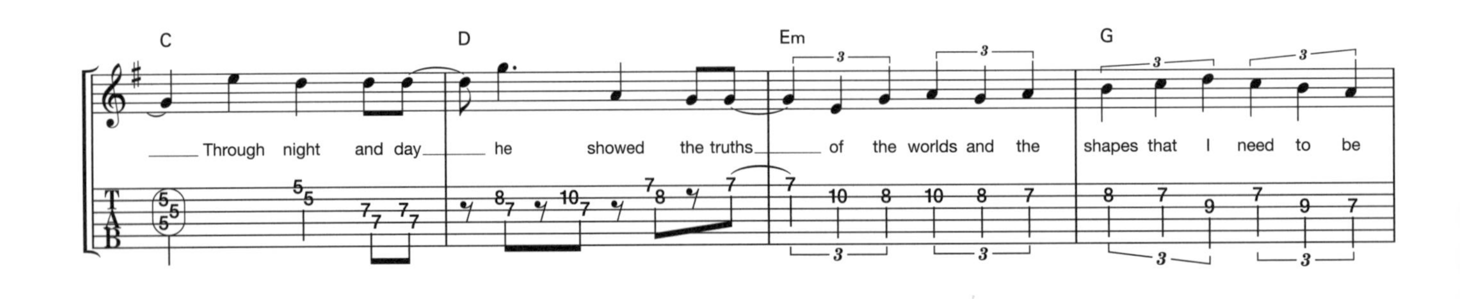
C
D
Em
G
Through night and day he showed the truths of the worlds and the shapes that I need to be

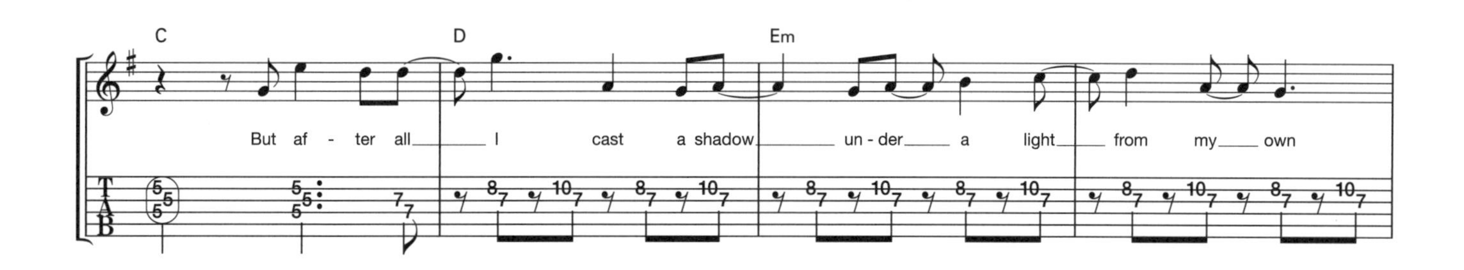
C
D
Em
But af - ter all I cast a shadow un - der a light from my own

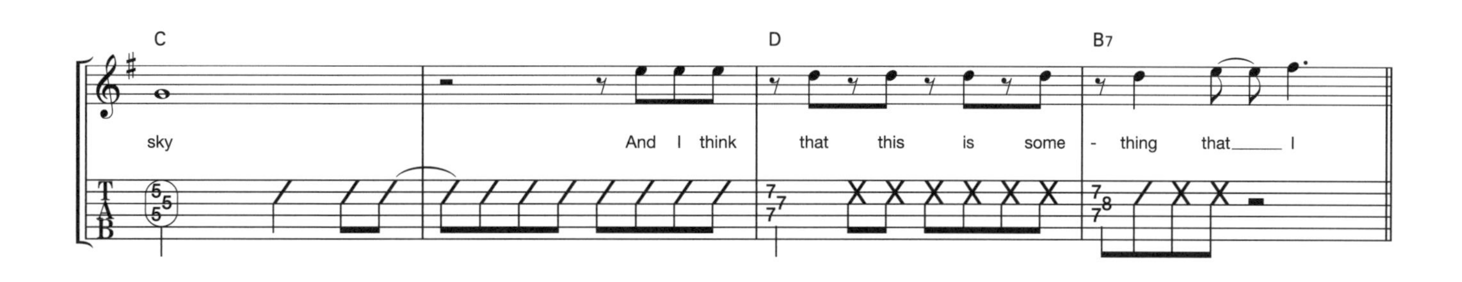
C
D
B7
sky
And I think that this is some - thing that I

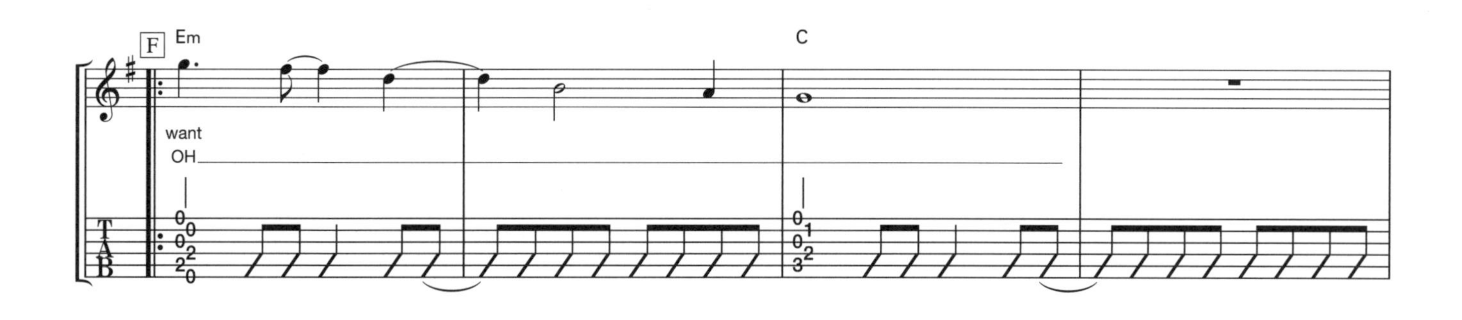
F
Em
C
want
OH

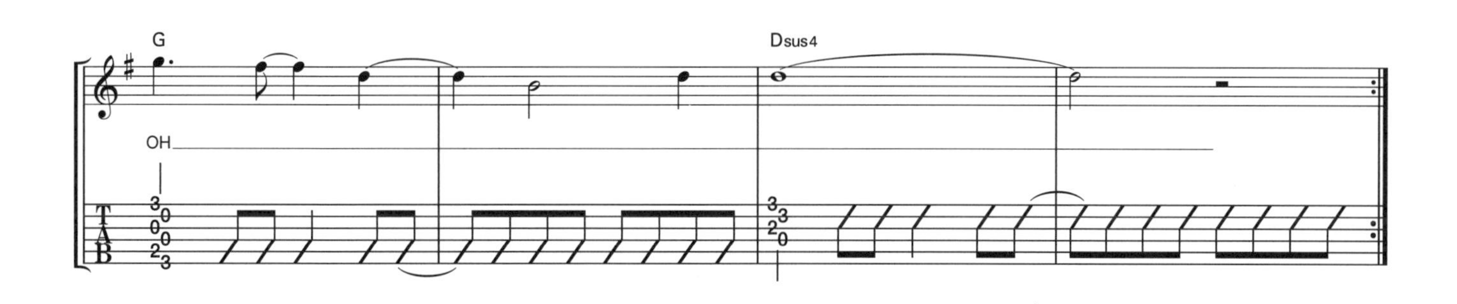
G
Dsus4
OH

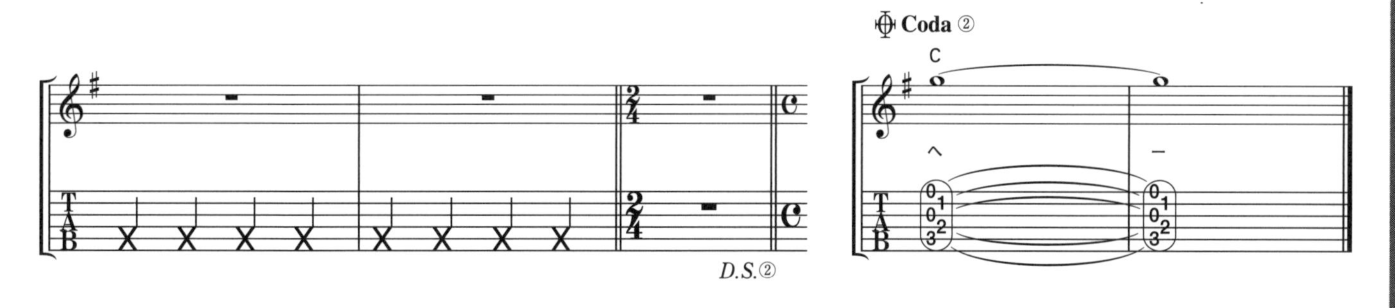
D.S.②
Coda ②
C

第六章 応用曲

アイラブユー

back number

作詞・作曲：清水依与吏

演奏のポイント

イントロの印象的なフレーズが鳴ると、目の前の視界が広がります。それほどしっかりと浸透してしまった名曲です。このフレーズはイントロだけでなく、間奏、後奏にも出てくるので重要です。このアレンジではアタマからE.G.で弾くようにしてあります。間奏も同様で、ラスト部分はコードバッキングを掲載してあります。

また、この曲は、Key=D♭なので、E.G.はカポ1、Key=Cでプレイするのが良いでしょう。ほぼロー・ポジションでのコード・バッキングになります。基本になっているのは A で出てくる、ゆったりと大きな4ビートをダウン・ストロークで弾くパターンです。この曲全体がこのリズムで支えられているので、しっかりとテンポを安定させてキープすることが大切です。B では一瞬、8ビートになりますが、こちらも全てダウンで弾き、C からは16ビートになります。16分音符はやや跳ねるタイミングですが、大きな4ビートリズムが乱れないように注意しましょう。

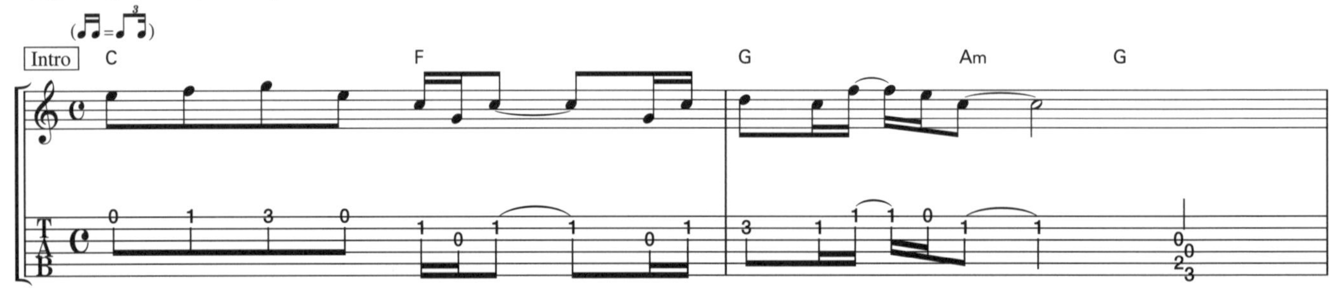

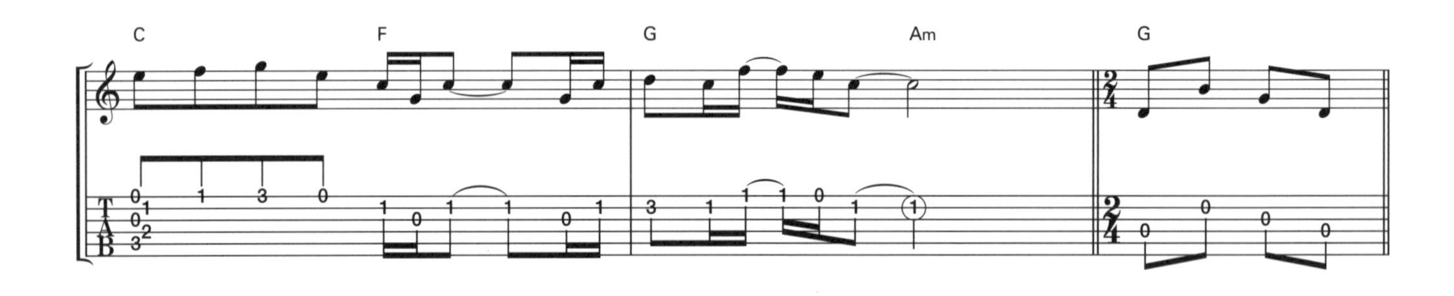

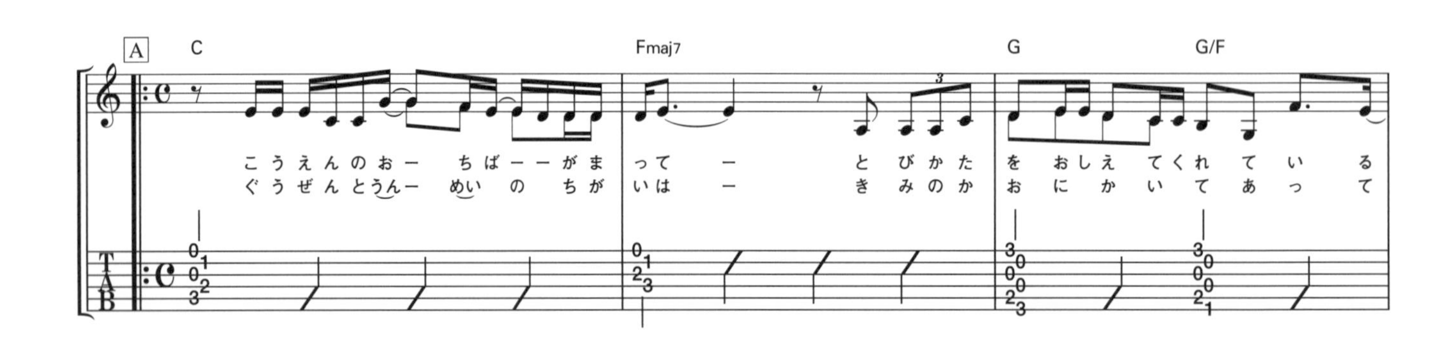

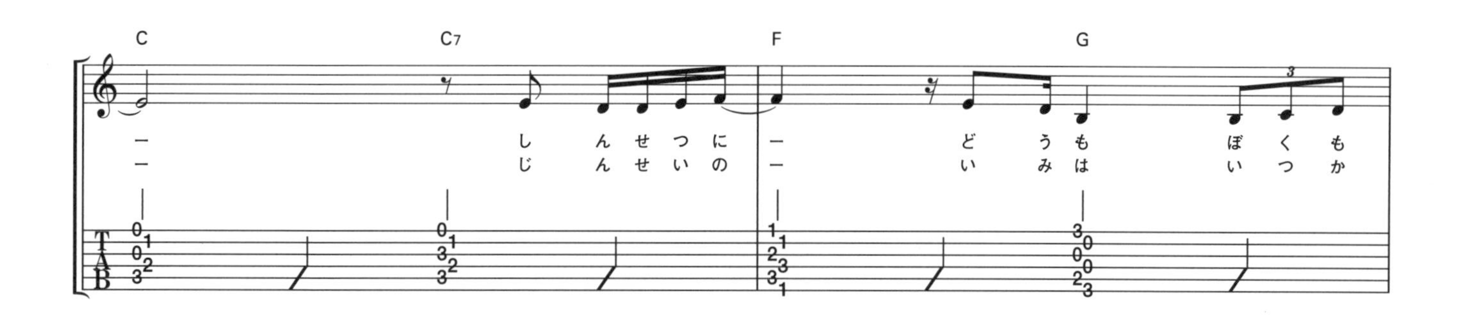

C C7 F G
ー しんせつにー どうも ぼくも
ー じんせいのー いみは いつか

Am B♭ Gsus4 G
そんなふーうにー かろ やーかでいられたらー ー よこ
きみがくーれたー アメ のーなかにはいってたー ー きみ

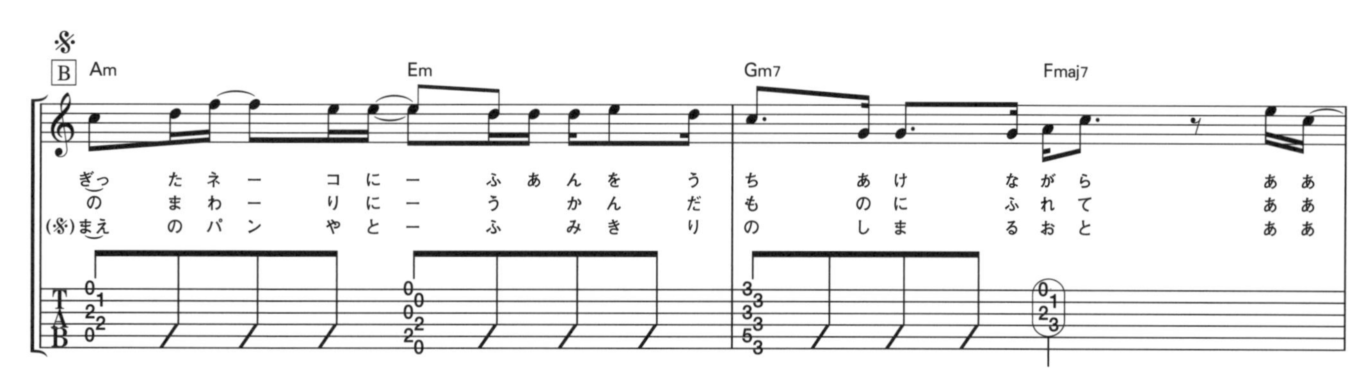

𝄋
B
Am Em Gm7 Fmaj7
ぎったネーコにー ふあんをう ちあけながら ああ
のまわーりにー うかんだ ものにふれて ああ
(𝄋)まえのパンやとー ふみきり のしまるおと ああ

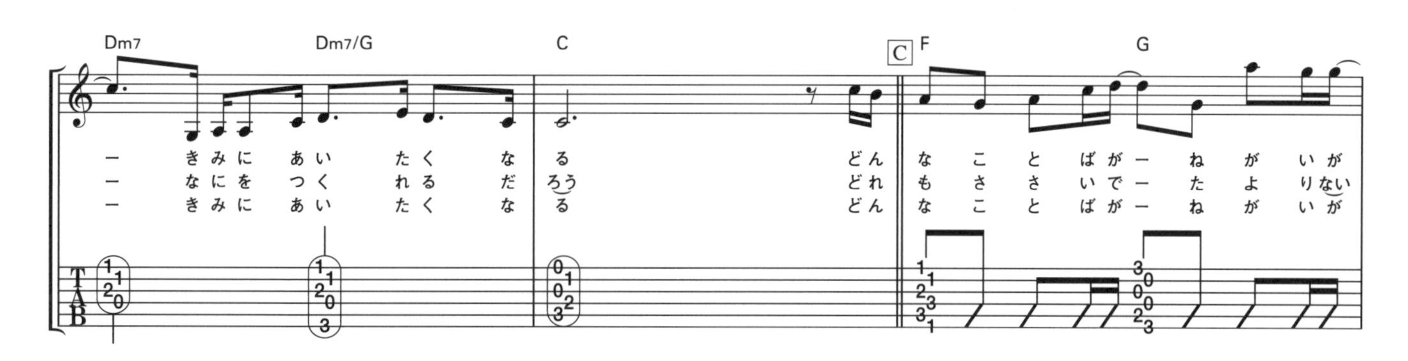

Dm7 Dm7/G C
C
F G
ー きみにあいたくなる どん なことばがーねがいが
ー なにをつくれるだろう どれ もささいでーたよりない
ー きみにあいたくなる どん なことばがーねがいが

C Am F E7
ー けしきがー きみをえ がおにーしあーわせーにす
ー けついでー ぼくのせ かいのーもよーうはーでき
ー けしきがー きみをえ がおにーしあーわせーにす

第六章 応用曲

Am Gm7 F G
るだろうー ちずなんかないけどー あるいて
ーてるー おしゃれでんはないけどー ゆいいつの
るだろうー ちずなんかないけどー あるいて
T A B
C Am F G to⊕
ーさがしてー きみにー わたーせたーらいい
ーダサさでー きみがー わらーえたーらいい
ーさがしてー きみにー わたーせたーらいい
1.
C C7 F G
ー
2.
C C7 F G
ー
C F G Am
ぼくのなか

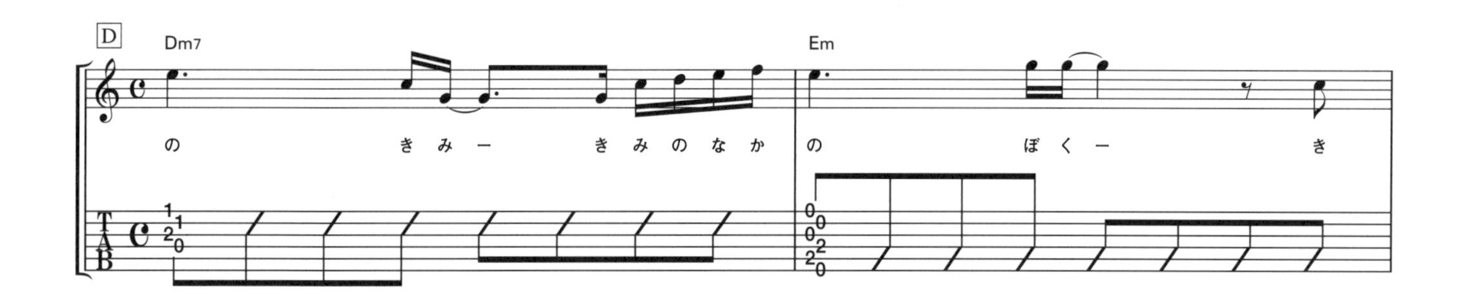
D
Dm7
Em
の　きみー　きみのなか　の　ぼくー　き

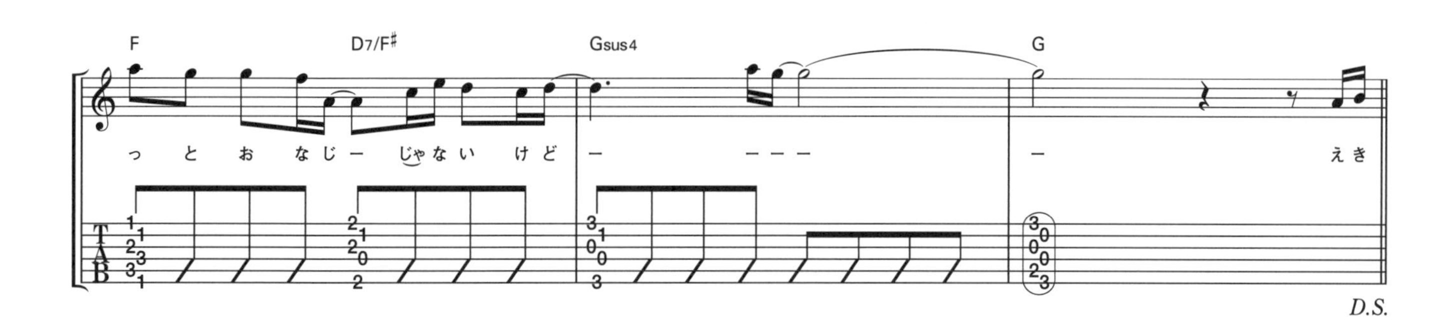
F
D7/F♯
Gsus4
G
っとおなじー　じゃないけど　ー　ーーー　ー　えき
D.S.

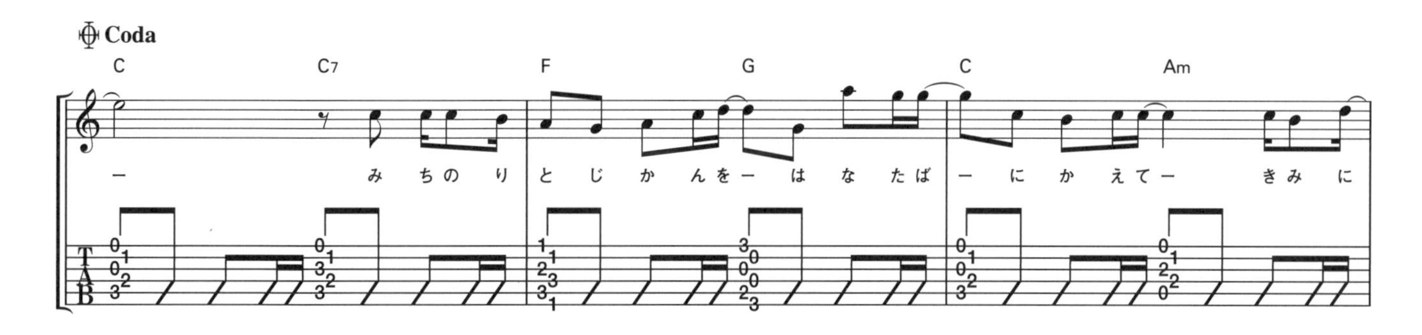
Coda
C
C7
F
G
C
Am
ー　みちのり　とじかんをー　はなたば　ーにかえてー　きみに

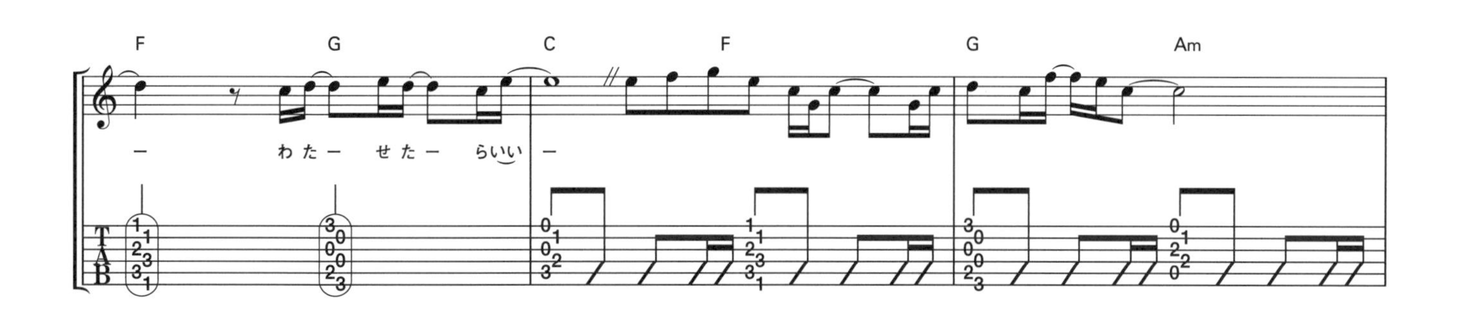
F
G
C
F
G
Am
ー　わたー　せたー　らいいー

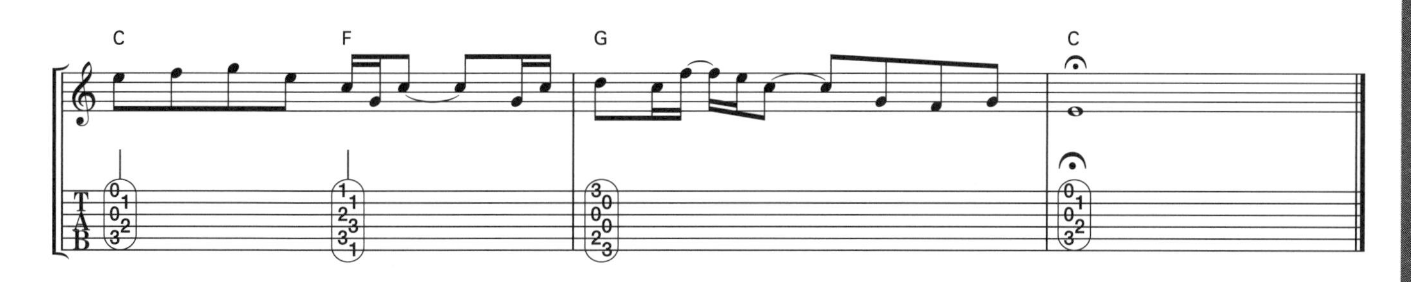
C
F
G
C

第六章　応用曲

青と夏

Mrs. GREEN APPLE

作詞・作曲：大森元貴

演奏のポイント

音源では２本のE.G. が登場し、リード・ギターはCapo.9、もう１本のメイン・ギターはCapo.2でプレイしています。この楽譜では、メイン・ギター１本で、最初から最後まで演奏するフレーズ＆バッキングを載せてあります。

イントロは速いテンポなので、焦らずにゆっくりと確実に。前半部分 A は、まずコードを流すように弾いてみましょう。ここではまだリズムは切らずに、カウントしていることが大切です。B からは、コード移動が多く忙しいですが、ダウンストローク中心で歌の流れを見失わないように。I らは、ダウンとアップのバッキングで盛り上げたいです。

尚、この曲でのローコードGは、前コードとのつながりなどにより、２弦は３フレットを押さえます。

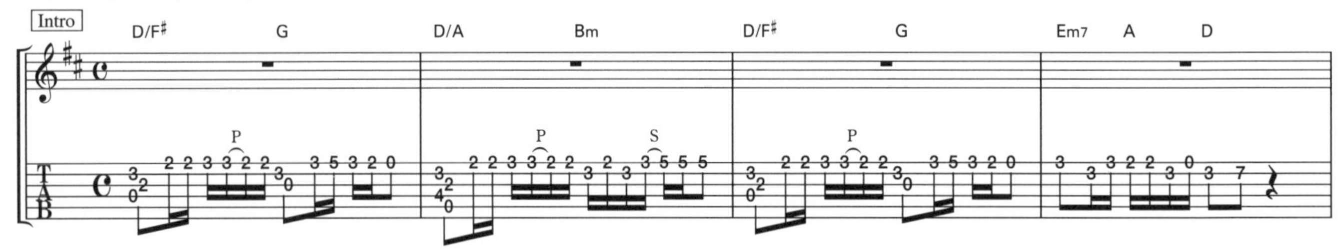

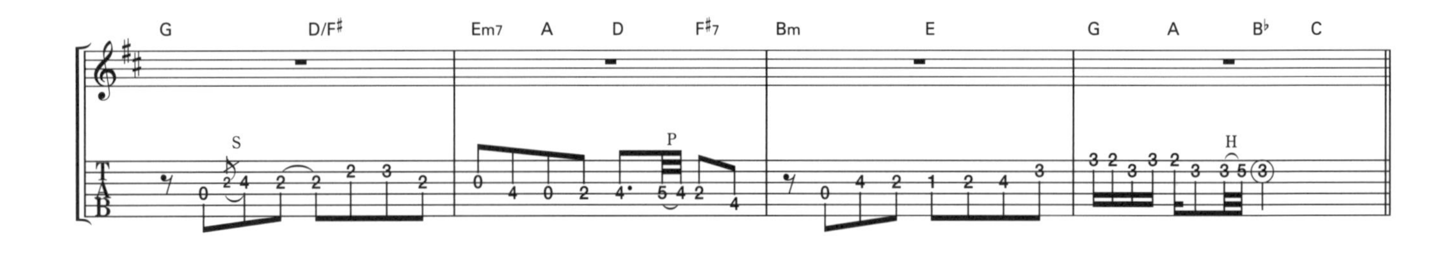

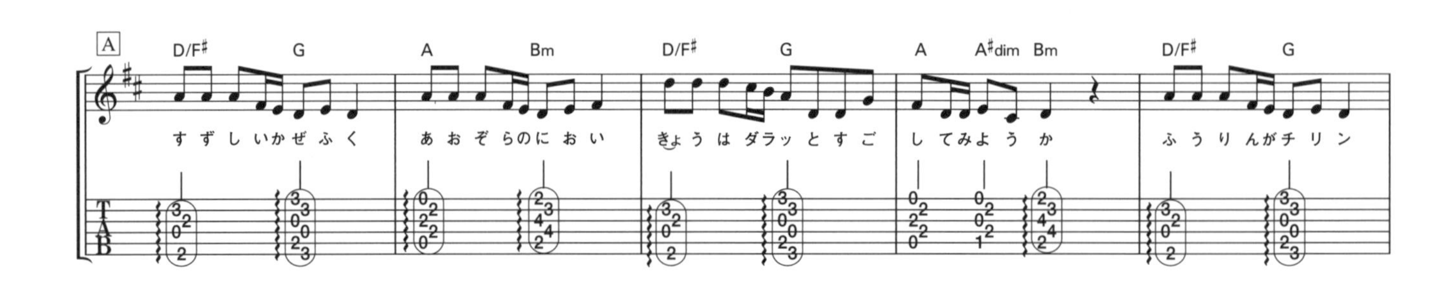

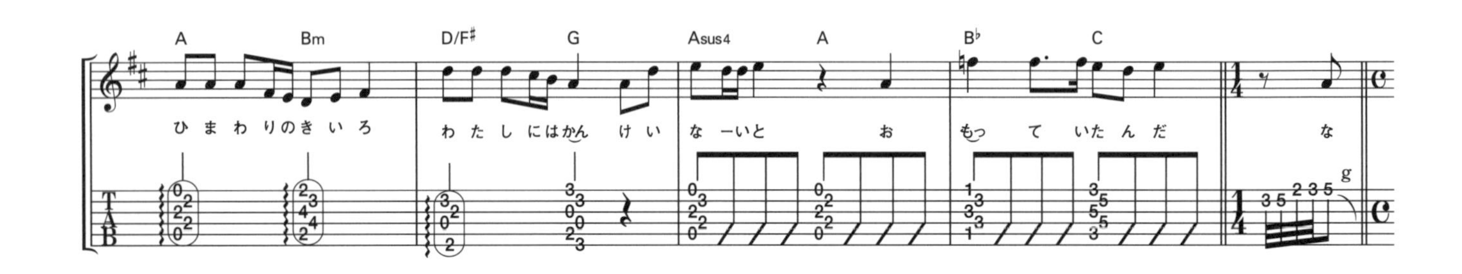

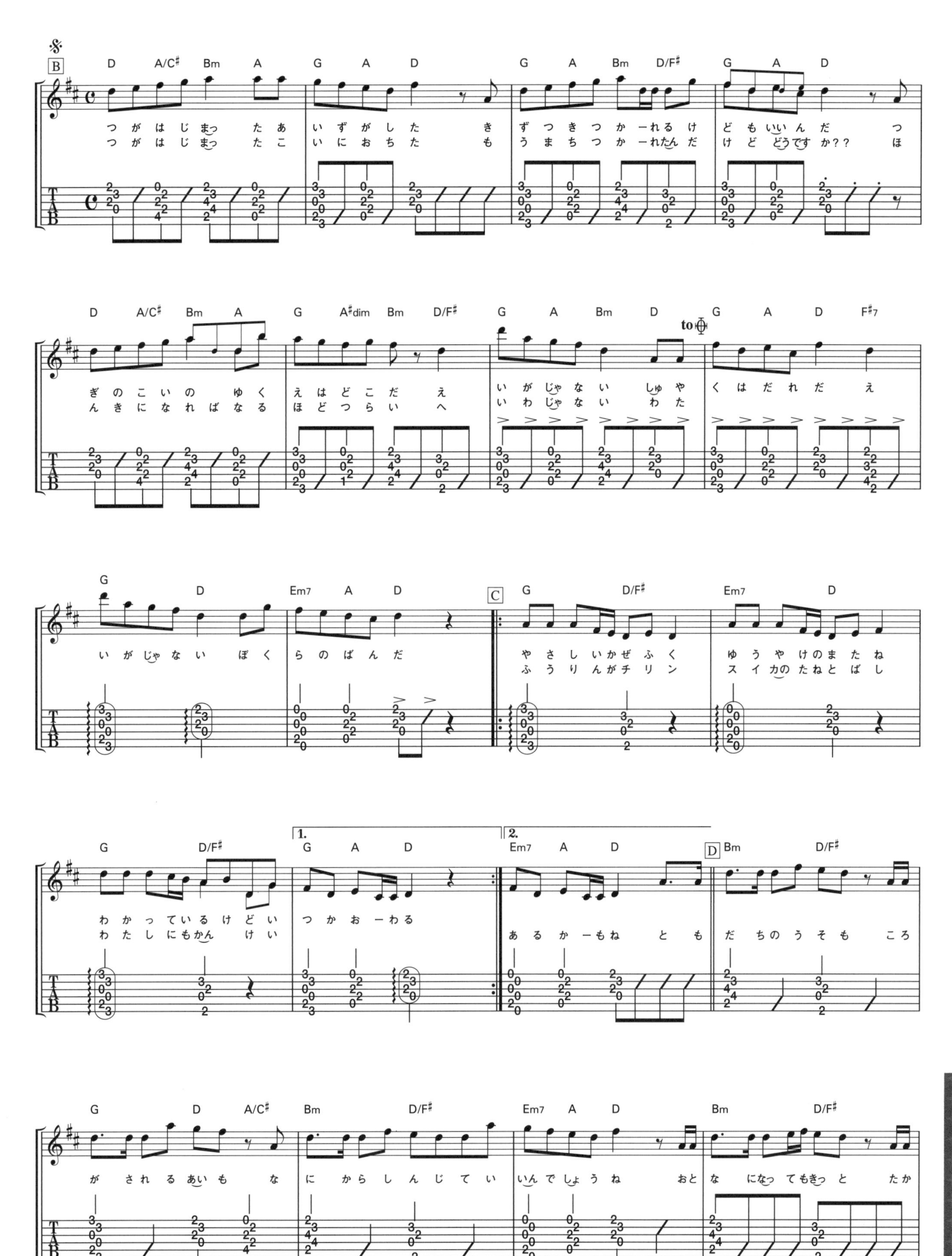
B
D A/C♯ Bm A G A D G A Bm D/F♯ G A D
つがはじまったあ いずがしたき ずつきつかーれるけ どもいいんだつ
つがはじまったこ いにおちたも うまちつかーれたんだ けどどうですか？？ほ
D A/C♯ Bm A G A♯dim Bm D/F♯ G A Bm D to Coda G A D F♯7
ぎのこいのゆく えはどこだえ いがじゃないしゅや くはだれだえ
んきになればなる ほどつらいへ いわじゃないわた
G D Em7 A D
C
G D/F♯ Em7 D
いがじゃないぼく らのばんだ やさしいかぜふく ゆうやけのまたね
ふうりんがチリン スイカのたねとばし
G D/F♯
1.
G A D
2.
Em7 A D
D
Bm D/F♯
わかっているけどい つかおーわる
わたしにもかんけい あるかーもねとも だちのうそもころ
G D A/C♯ Bm D/F♯ Em7 A D Bm D/F♯
がされるあいもな にからしんじてい いんでしょうねおと なになってもきっとたか

第六章 応用曲

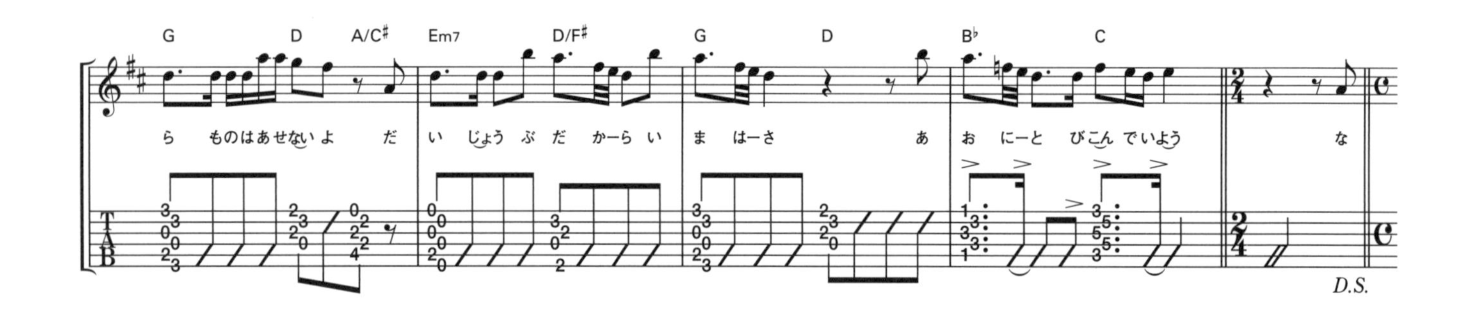
G D A/C♯ Em7 D/F♯ G D B♭ C
ら ものはあせないよ だ
い じょうぶだ か-ら い
ま は-さ あ
お に-と びこんでいよう
な
D.S.

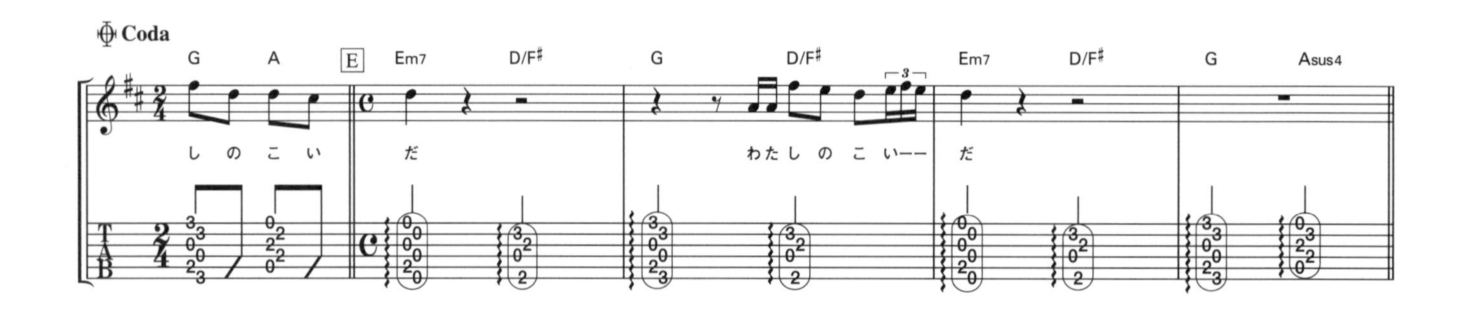
Coda
G A
E
Em7 D/F♯ G D/F♯ Em7 D/F♯ G Asus4
し の こ い
だ
わたし の こ い--
だ

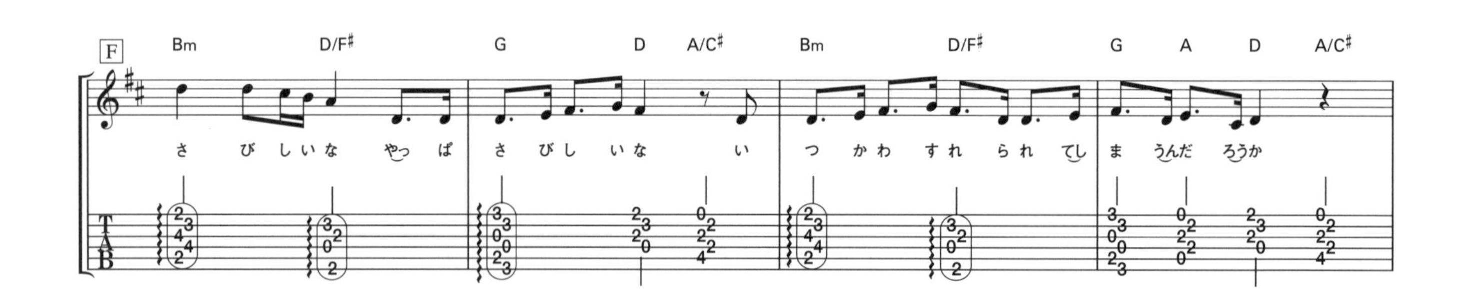
F
Bm D/F♯ G D A/C♯ Bm D/F♯ G A D A/C♯
さ び しいな やっ ぱ
さ び し いな い
つ かわ す れ ら れ てし
ま うんだ ろうか

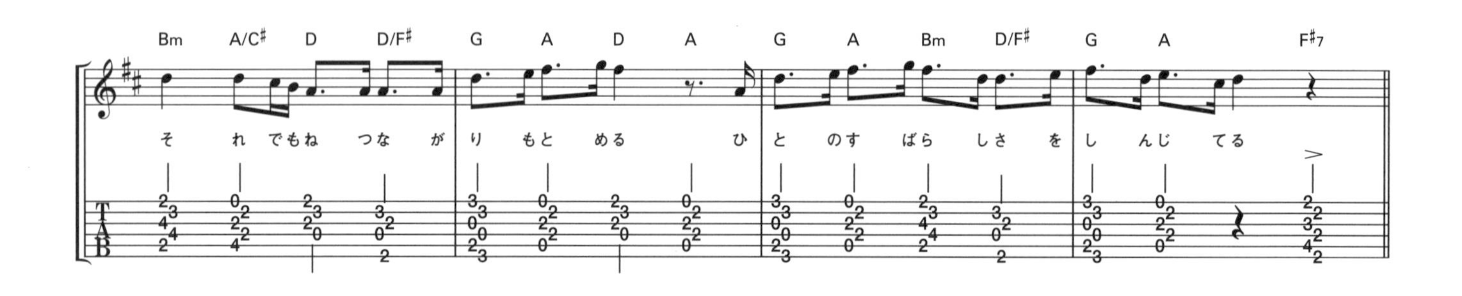
Bm A/C♯ D D/F♯ G A D A G A Bm D/F♯ G A F♯7
そ れ でもね つな が
り もと める ひ
と のす ばら しさ を
し んじ てる

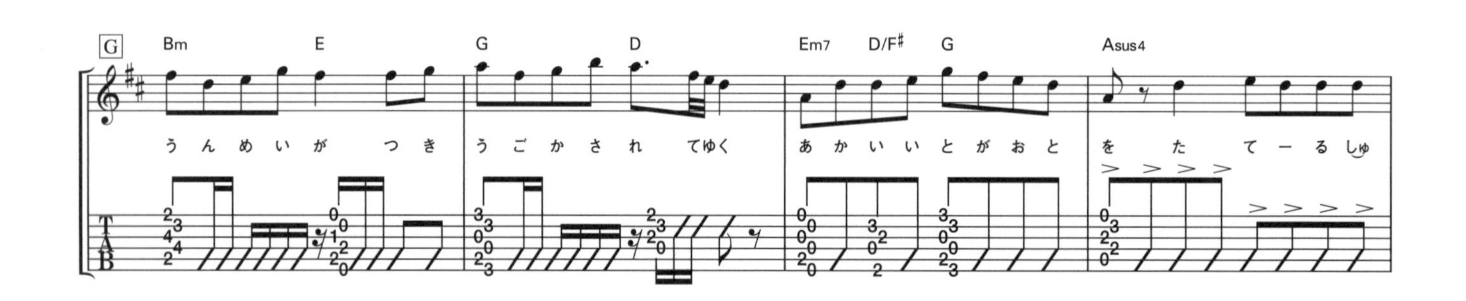
G
Bm E G D Em7 D/F♯ G Asus4
う ん め い が つ き
う ご か さ れ てゆく
あ か い い と が お と
を た て ー る しゅ

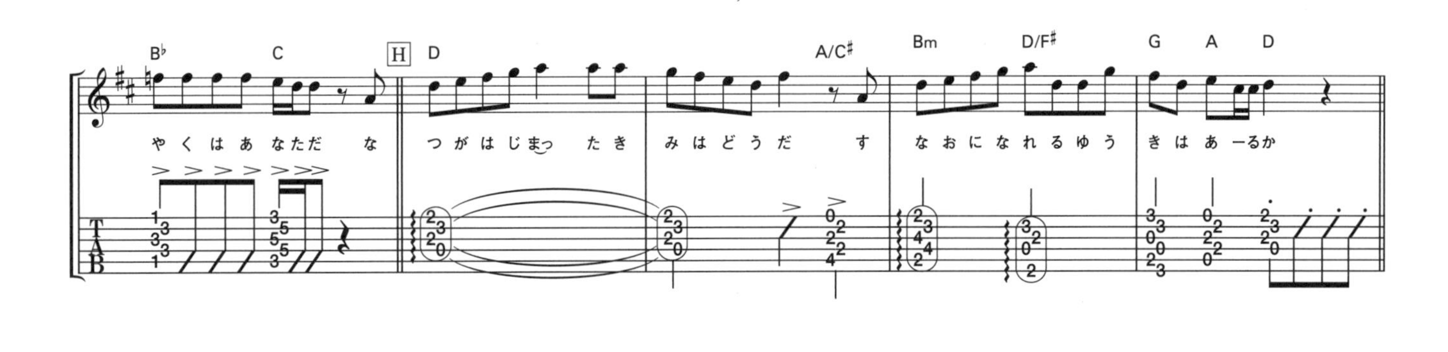
B♭ C H D A/C♯ Bm D/F♯ G A D
やくはあなただ な
つがはじまっ たき
みはどうだ す
なおになれるゆう
きはあーるか

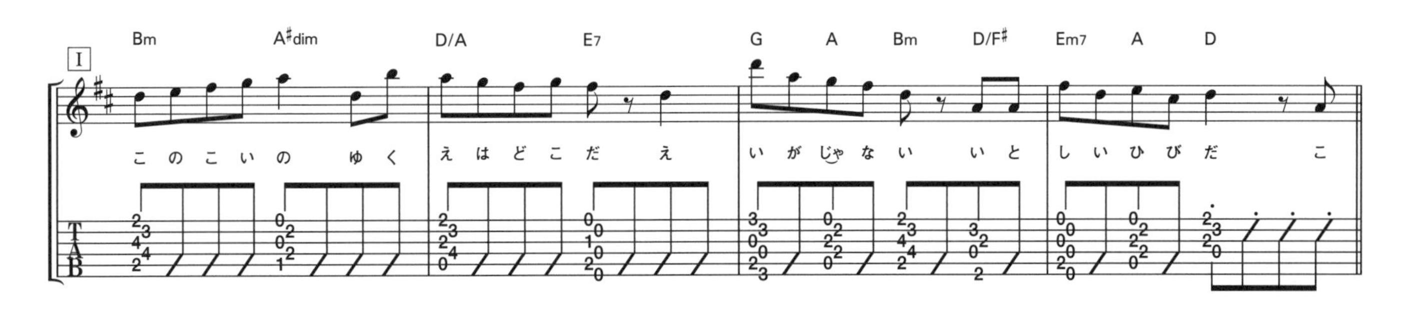
I Bm A♯dim D/A E7 G A Bm D/F♯ Em7 A D
このこいの ゆく
えはどこだ え
いがじゃない いと
しいひびだ こ

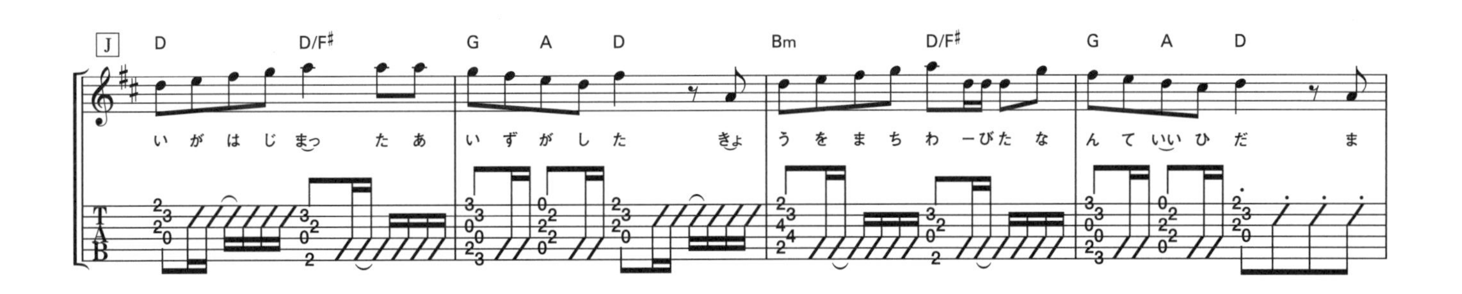
J D D/F♯ G A D Bm D/F♯ G A D
いがはじまっ たあ
いずがした きょ
うをまちわーびたな
んていいひだ ま

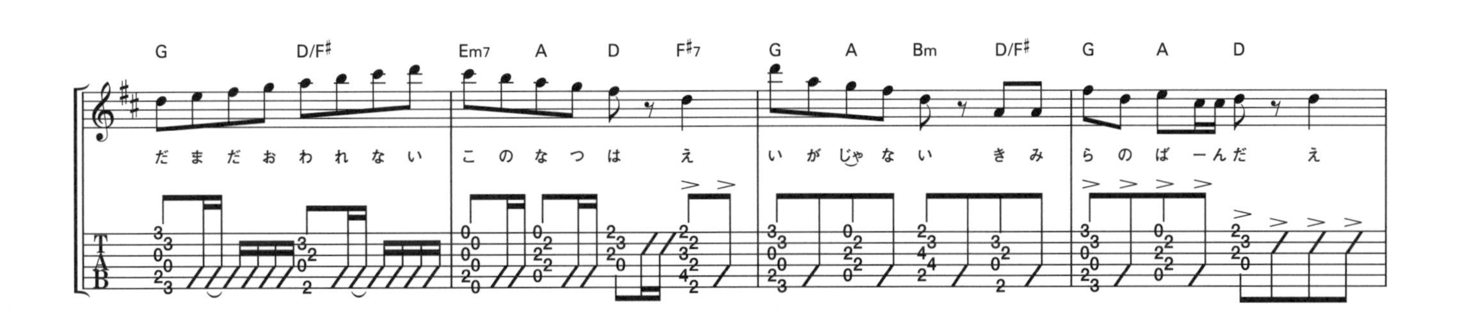
G D/F♯ Em7 A D F♯7 G A Bm D/F♯ G A D
だまだおわれない
このなつは え
いがじゃない きみ
らのばーんだ え

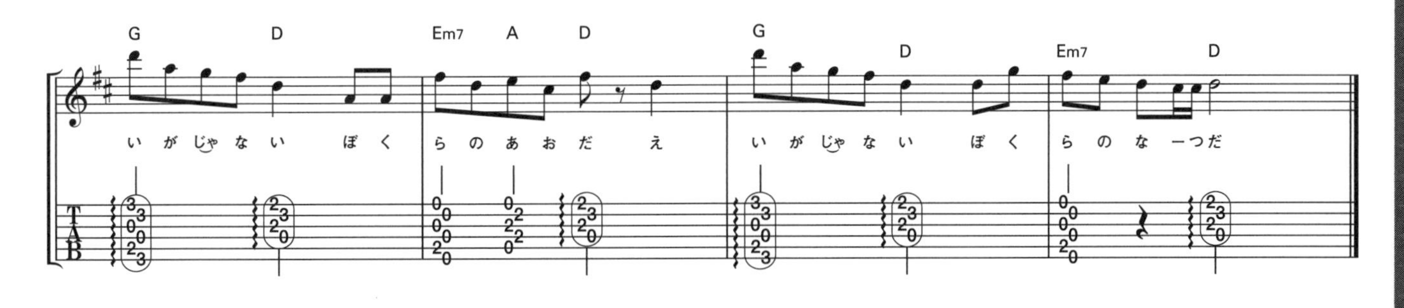
G D Em7 A D G D Em7 D
いがじゃない ぼく
らのあおだ え
いがじゃない ぼく
らのなーつだ

初心者のエレキ・ギター基礎教本 —————— 定価（本体 1300 円＋税）

編著者————自由現代社編集部
表紙デザイン——オングラフィクス
発行日————2023 年 11 月 30 日
編集人————真崎利夫
発行人————竹村欣治
発売元————株式会社自由現代社
〒 171-0033　東京都豊島区高田 3-10-10-5F
TEL03-5291-6221/FAX03-5291-2886
振替口座 00110-5-45925

ホームページ——http://www.j-gendai.co.jp

JASRAC の承認に依り許諾証紙張付免除

JASRAC　出 2308381-301
（許諾番号の対象は、当該出版物中、当協会が許諾することのできる出版物に限られます。）

ISBN978-4-7982-2640-8